英語でEメールを書く

装幀	菊地 信義
イラスト	増谷 典子（Parastyle）
本文デザイン	飯尾 緑子（Parastyle）
DTP	野川 祐江（Parastyle）
編集協力	Parastyle Peter Gore-Booth Kodansha America, Inc.

英語でEメールを書く

ビジネス&パーソナル「世界基準」の文例集

田中宏昌
ブライアン・アズビョンソン
［共著］

Power English

講談社インターナショナル
Tokyo・New York・London

PREFACE

This book is a guide for writing e-mail. It will help you focus on the essential elements of writing e-mail—getting your message to the reader in a simple, clear and easy-to-read way. E-mail readers and writers soon learn that the rules of writing formal letters do not apply in e-mail. Indeed, e-mail in many cases is closer to a written conversation.

The e-mail examples in this book include writing and responding to e-mail. For each type of e-mail, there are many ideas to help you avoid some common mistakes and focus on your message. There are also many useful expressions for each sample to help you write your own e-mail and understand messages you receive.

Plus, there are sections on understanding important e-mail issues, such as viruses, attachments, and different file types. There is also information on how to understand and take part in online chat.

The chapters in this book are organized around different uses of e-mail. For example, you can learn how to write announcements, make social and business invitations, request services or products, get information about jobs, and work with online sales.

As the Internet and e-mail become a bigger part of the social and business lives of Japanese, this book will serve as a valuable reference for international communication.

Brian Asbjornson

まえがき

インターネットの普及により、IT(情報技術)と英語が、今後の日本の国際化のステップの大きな鍵になろうとしています。これはビジネスだけにとどまらず、社会の様々な面にまで大きく影響してくるでしょう。実際に、学生はレポート提出をEメールで求められるようになり、主婦はインターネットで買い物をし、高齢者がインターネットを活用した介護を受けるということが始まりつつあります。

コミュニケーションの中でEメールの果たす役割もますます大きくなりつつあります。Eメールはすでに、手紙やファックスとは大きく異なる役割を持つようになりました。それは会話の道具としての働きです。電話だけでなく、テレビ会議、ボイスメールなど、さまざまな情報技術が英会話と統合して使われるようになってきました。そして、Eメールも同様に会話の道具としての機能を持ち始めているのです。

グローバル化のもとで、英語でEメールを使いこなせることの意味はますます大きくなってきています。英語のEメールを使うことによって、日本国内だけでなく、世界の人たちと簡単に意思疎通ができるからです。英語によるコミュニケーションの中心が、かつての手紙から、国際電話や航空機の発達によって会話に変わり、さらにインターネットの普及により、Eメールに移る可能性が大きくなってきました。みなさんも本書を参考に、ぜひ英語のEメールの世界に本格参入して、コミュニケーションの範囲を世界に拡大してください。

なお、本書では、英語の意味を分かりやすくするために、やや不自然と思われる直訳調の日本語訳も残しています。

最後に、本書の作成が本格的な執筆に入ってからは、2人の著者および編集担当者が一度も顔を合わせて話し合うことなく、すべてEメールでのやり取りで進行したことをお伝えしておきましょう。

田中 宏昌

CONTENTS

PREFACE ··4
まえがき ··5

Chapter I ••• Eメールの基本

❶ Eメールと他の英文ライティングの違い ·······························12
❷ これだけは知っておきたい英文Eメールのマナー ·············15
❸ Eメールの基本的な構成と書き方 ··24

Chapter II ••• Eメール実践編

1 自己紹介 Self-Introduction

BUSINESS

1 入社後にイントラネットで自己紹介する
  Self-introduction on entering company ································38
2 自己紹介に対する返事
  Response to self-introduction on entering company ············41

PERSONAL

1 Eパルに自己紹介する Self-introduction to online friend ········43
2 Eパルからの返事 Response from online friend ·······················47
3 ホストファミリーへの自己紹介
  Self-introduction to host family ··50

2 招待 Invitations

BUSINESS

1 新製品発表イベントへの招待
  Invitation to see a new product ··53
2 親しいビジネス関係者にインフォーマルな招待状を送る
  Informal invitation to a familiar business contact ··················56
3 講演者を招待する
  Inviting someone to speak at your school, business or club ········58

PERSONAL

1 ホームパーティに招待する　Invitation to home party……………61
2 趣味の集まりへ招待する　Invitation to visit club……………63

GENERAL

1 招待を受ける　Accepting an invitation……………………………65
2 招待を断る　Rejecting an invitation………………………………66
3 招待をキャンセルする　Canceling an invitation ………………68

3 問題解決 *Dealing with Problems*

BUSINESS

1 問題を説明しサービスについて問い合わせる
　Describing a problem and asking about a service……………………70
2 不良品に関する苦情と交換の要求
　Complaint and asking for replacement………………………………73
3 苦情に対する返事の催促　Asking for a reply to complaint………77

PERSONAL

1 問題を説明してオンラインで解決を求める
　Describing a problem and asking for a solution online……………79
2 ホームページについて問い合わせる
　Asking about a home page………………………………………………83
3 ホームステイ中の子供に関する問題を知らせる
　Describing a problem with a home stay child………………………86

4 お知らせ *Announcements*

BUSINESS

1 新しいメンバーの紹介　Announcing new personnel ……………93
2 新製品の案内　Announcing a new product's availability …………95
3 新しいサービスを伝える　Announcing a new service……………99
4 住所の変更を伝える　Announcing a change of address…………102
5 イントラネットで社内の内規の変更を知らせる
　Announcing a change in policy through intranet……………………105

CONTENTS

6 イントラネットでミーティングの案内をする
Announcing a meeting through intranet ··················107

7 時間変更のお知らせ Time change announcement ·············110

PERSONAL

1 子供の誕生を知らせる Announcing the birth of child ·······111

2 引越しの案内 Announcing a move ································112

3 Eメールがしばらく使えなくなることを知らせる
Announcing that you will not be online ···················114

4 ホームページについて知らせる
Announcing a new or update home page ················115

5 お礼 *Thanking*

BUSINESS

1 外国でお世話になった人へのお礼
Thanking for help during a visit to another country ·········118

2 プロジェクトへの支援のお礼
Thanking for help with project ································120

3 何かちょっとしたことを手伝ってもらったお礼
Thanking for help with something small ··················122

PERSONAL

1 ホストファミリーへのお礼 Thanking a host family ········125

2 あらかじめお礼を伝える Using "Thanks in advance" ······127

3 贈り物に対するお礼 Thanking for a gift ·······················129

4 推薦状を書いてもらったお礼
Thanking for the recommendation ···························130

6 依頼 *Requesting*

BUSINESS

1 プロジェクトの進行状況の報告を求める
Requesting information about the status of a project ·······133

2 商品の詳細を求める
Requesting information about product details ············138

3 サービスに関する問い合わせ
　Request for information about a service ··································· 144

4 依頼を断る　Denying a request ·· 147

PERSONAL

1 ツアーなどの旅行情報を求める
　Asking about tour and travel information ································ 149

2 特別なサービスを依頼する
　Asking for a special service ··· 152

3 オンラインショッピングの製品について問い合わせる
　Asking for information about a product online ························· 155

4 情報の要求に対する返信
　Response to request for information ······································ 157

5 リンクの交換の依頼　Request to exchange links ····················· 159

7 お詫び Apologizing

BUSINESS

1 サービス上の手違いに関して謝罪する
　Apologizing for service mistake ·· 162

2 誤った配送に関して謝罪する
　Apologizing for an incorrect shipment ··································· 165

3 会社を代表して適切でない行動を詫びる
　Apologizing for inappropriate behavior on behalf of company ····· 168

GENERAL

1 配慮が十分できなかったときの謝罪
　Apology for leaving something out ·· 171

2 謝罪のEメールに対する返事　Response to apology ··················· 173

3 失礼な行動を謝罪する　Apologizing for bad behavior ············· 175

8 就職 Employment

GENERAL

1 募集に関して問い合わせる
　Inquiring about position availability ······································ 177

CONTENTS

2 募集に関する問い合わせの返事
Response to position inquiry ··180

3 履歴書のカバーレターの書き方
How to make a good cover letter for resume ················183

4 履歴書を受け取る Receipt of resume ························185

5 退職のお知らせ Notification of resigning ················187

9 旅行 Travel

GENERAL

1 ホテルの空き状況と料金を尋ねる
Inquiring about room availability and room rates ···········190

2 部屋の空き状況と料金の問い合わせへの返事
Response to a room availability and rate request ············192

3 宿泊施設に特別な依頼をする
Special requests for accommodations ····························196

付録

❶ EメールトラブルQ&A ··200
❷ チャットルームQ&A ··207
❸ インターネット用語 ··210

Chapter 1
E メールの基本

Eメールと他の英文ライティングの違い

1 会話に近い用法

　外資系企業では、社内のネットワークを使ったEメールのやり取りが非常に多い。受け取り手の社員に日本語を解さないメンバーがいる限り、英語でメールを書くことはもはや常識化している。社内のネットワークでは、社内のサーバーを通しているので、Eメールは、送信とほぼ同時に受信される場合が普通である。そのために、短い、会話に近いやり取りが中心になってくる。
　次の例を見てみよう。電話の会話とほとんど変わりがない。電話で話す代わりにキーボードで話しているということだ。

Hi.
The project meeting will start at 15:30, won't it?
元気?
プロジェクト・ミーティングは15:30に始まるんですよね。

Yes.
See you in the meeting.
そうです。
では、ミーティングで会いましょう。

　Eメールでは、会話ならではの、相手の返事から感触をつかみながら意見をまとめていく、調整していくという作業ができる。

2 ファックスとの違い

　Eメールの場合、さまざまな形で情報が漏れる可能性はある。企業内のネットワークであれば情報管理者がモニターすることが可能であるため、情報の安全性はあまり高くない。そのため

1 Eメールと他の英文ライティングの違い

機密情報を含むものは、手紙やファックスでやり取りされることが普通である。ファックスの場合は、手紙に比べて時間もかからずにやり取りできるので、契約書のドラフト内容を調整するといった用途に向いているといえる。Eメールと同様、発着信もほぼ同時だが、原稿のプリントアウトや通信コストなどを考えるとEメールのように会話としては使えない。

3 手紙との違い

実際にサインが必要な契約書などは、やはり郵便や宅配サービスを使う方法で送られる。サインが書かれたものは、実物が必要になるからである。契約を急いでいる場合などは、サインをしたファックスを送付することはあるが、その後にかならず実物を郵便または宅配便で送るのが普通である。また招待状などフォーマルな内容を持つものも郵便が使われる。フォーマルさの度合いでは、手紙、ファックス、Eメールという順番になる。

4 電話との違い

Eメールは、相手がいるかいないかを確認せずに連絡できる。もっとも、近頃の北米のオフィスはボイスメールが完備されている場合が多いので、実際には電話でも、相手の不在時に伝言を残すことは可能である。またEメールは時差がある地域との仕事にも便利である。ファックスも時差に関係なく送信できるが、相手が自宅にいる場合にはファックスの送信音で夜中に目を覚まさせてしまうというトラブルの心配がある。

5 Eメールのデメリット

Eメールは、他の通信手段の特性も知った上で使い分けるようにしたい。ある企業内のネットワークで、次のようなEメールがパティションを隔てた隣のオフィスにいる上司に送られた。

Hi.
You've just received a phone call from George Delaney.

Chapter 1 Eメールの基本

> Could you call him as soon as possible?
> いまジョージ・デラニーさんから電話がありました。できるだけ早く彼に電話をしてもらえますか？
>
> Yoshinori Takahashi

　メールの受け手は、会議から会議に走り回っているかもしれない。また同じ日に他の50通のメールを読まなくてはならないかもしれない。この内容をメールで送るならメモを机に置いておいたほうがずっと効果的であったはずである。

　もう1つEメールの困った使用法を挙げておこう。次のようなメールが会議の1時間前に送付された。

> Dear Mr. Yamada,
>
> You asked me to give a short presentation on our trip to Vietnam next week.
> あなたから来週のベトナム出張について簡単なプレゼンテーションを頼まれていました。
>
> I've just had an urgent call from the Yokohama office and need to go there now.
> いま横浜オフィスから緊急の連絡が入って、すぐに横浜に行かなくてはいけなくなりました。
>
> Please put my presentation off to Tuesday meeting.
> 私のプレゼンテーションを火曜日のミーティングに延期してください。
>
> Best regards,
> Ivan Goldberg

　会議の主催者である山田さんは、会議の1時間前には忙しくてEメールを見ている暇がないかもしれない。この場合なら、電話をして、いなければ誰かに伝言を残すほうがEメールよりもずっと効果的である。

これだけは知っておきたい
英文Eメールのマナー

1 文章は簡潔に

会議中の長いモノローグが嫌われるように、会話に近い性質を持っているEメールはなるべく短く簡潔にすることがマナーである。ポイントを明確にして、要点がひと目で分かる文面にすることが望ましい。企業のエグゼクティブは1日に何百通ものEメールを受け取っている。そんな人たちは、時候の挨拶などを読みたいとは思わないはずである。

2 1行は80文字以内に

世界に向けてEメールを発信するということは、さまざまなコンピュータに向かっている人たちにメールを発信しているということである。現在も1行が80文字で自然に文が切れてしまうコンピュータに向かっている人も少なくないことを知っておこう。80文字というのは、もちろん日本語の全角ではなく半角での計算。さらに文字化け、引用記号などを使った場合を考えると、1行は半角で76文字程度で改行しておいたほうが安全だ。

3 全角英文字は使用しない

Eメールでは文字コードだけが送られている。そして、海外にメールを送った場合は、受信者は英語のフォントしか読めないマシンを使っている場合がほとんどである。その場合、全角の英文字は文字化けしてしまうことになる。

― 半角英文字による文章
I am writing this e-mail to ask for further information
regarding your service.

Chapter I Eメールの基本

全角英文字による文章（→文字化けする）
I am writing this e-mail to ask for further information

❹ 送り手の名前を明確に

受信メールリストに載っているメールアドレスからは相手を判別できない場合がある。メールアドレスはただの記号であることも多いので、できれば次のような自分用のレターヘッドを作って文末に添付するようにしたい。

文末に添付するレターヘッド
Mutsumi Nagatsuka
Director, International Affairs
AB&C Corporation
Phone: 03-1234-9876
Fax: 03-1234-9888
E-mail: Jadams@abc.co.jp

❺ 強調の仕方が単調にならないように

太字や色を変えた文字はメールでは使いにくいので、強調する場合に"！"(Exclamation point)がよく使われる。とりわけ自分の英語の表現力に不安な人は"！"を使った強調に頼りがちである。しかし、多用はかえって文章を読みにくくするばかりか、相手の目が慣れてしまえば強調にもならなくなる。自分で書いたメールをもう一度見直して、強調マークが多用されていないか確認してみよう。

他に大文字の使用による強調がある。次のメールは、バーベキュー・パーティへの招待と、それに対して「喜んで！」と強調して返事をしている例である。

Hi, Judith.

I'd like to invite you to our house for a barbecue party.

> Would you like to come?
我が家でのバーベキュー・パーティに招待したいのですが、
いらっしゃいますか？

Best,
Susan

> Would you like to come?
> いらっしゃいますか？

YES! I'd love to. I'll bring a bottle of Italian wine with me.
もちろん！　ぜひうかがいます。イタリアン・ワインのボトルを持参しますね。

Judith

このように大文字を使った強調も一部ならばいいが、文全体に使うと、大声で相手に向かって怒鳴り続けているような印象を与えるので気を付けよう。

大文字による文章
YES. I'D LOVE TO. I'LL BRING A BOTTLE OF ITALIAN WINE WITH ME.

6 1つのメールに1つのアイデア

1つのEメールに用件を2つも3つも詰め込むのは、次の3つの理由で避けたほうが無難だ。

Eメールが長くなる。
Eメールの原則は短く簡潔に、である。必要以上に長いメールは読みにくく、また読んでもらえない危険性もある。

相手が混乱する。
最初の用件と次の用件はどうつながるのか、意味が分からなくなり混乱する。

Chapter I Eメールの基本

相手がどちらかの用件を忘れる。
受け取ったメールを件名別にメールボックスに整理しておく場合、そこに書かれた用件以外は忘れ去られてしまう可能性がある。

7 Eメールの返事は2勤務日以内に

海外からの問い合わせに関しては時差があるので、すぐに返事を出さなくても、それほど相手の期待を裏切ることはない。しかし、3日も4日も返事を出さないのは問題である。

Eメールの用件はスピードが期待されるものが多い。日本と外国でのEメールのやり取りで日本側からの返事が遅れる理由の1つが、社内でコンセンサスを取ったり、承認を待ったりして時間がかかることであるが、これは返事が遅れる言い訳にはならない。意思決定が遅れる場合には「遅れる」という旨を伝えるメールを、やはり2勤務日以内に送るべきである。

Dear Mr. Lucas,

Thank you for your e-mail inquiring about our decision on the AR35. We need to get approval from the top management team. Unfortunately the top management meeting will not be held until next Friday. I will be able to inform you of our decision by 23 August 2000.

AR35に関する決定についてお問い合わせをいただき、ありがとうございます。最高経営陣の承認が必要なのですが、残念ながら最高経営会議は来週金曜日まで開かれません。2000年8月23日までには私たちの決定をお伝えできると思います。

Sincerely,
Naoto Saito
Manager

> Purchasing Division
> ZZZ Company, Ltd.

8 相手の名前は普段の呼び方で

　Dear Ms. Fieldsという宛名のメールもあるし、Jeffという名前だけの宛名のメールもある。また名前を書かずにHiだけのメールもある。正しい宛名の書き方はない。判断の基準は普段相手をどう呼んでいるかである。ファーストネームで呼び合う関係であれば、ファーストネームで、フォーマルな挨拶が必要ない関係であればHiで書き始めるという判断でいいだろう。

9 件名をしっかり付けよう

　件名と内容がまったく無関係のEメールを受け取ることがある。よく考えてみると以前、自分が相手に送ったEメールに付けていた件名だと分かる。原因のほとんどは、メールアドレスをアドレス帳から取り出さずに、以前受け取ったメールを受信箱から探して返信機能を使って返事を出しているためである。そのときに件名を書き換えずに以前のまま返信をしているとこうなるのだ。

　ここまで無頓着な人は多くないかもしれないが、意味不明なものや、Hi!など内容と無関係な件名を付けたり、件名なしで送る人は少なくない。忙しいメールユーザーは、件名だけを見て、じっくり読むものと読まずに後回しにしてしまうものを分ける場合があることを知っておこう。

10 スペルチェッカーを活用しよう

　もちろん、英語のネイティブスピーカーではない私たちが、完全な文法でメールを書くことは難しいが、つづりはスペルチェッカーで直せるはずである。現在ではほとんどのメールソフトやワープロソフトにスペルチェッカー機能が付いている。つづりの誤ったEメールを受け取った相手には、雑な人間であるという印象を与えてしまい、とりわけビジネスには不利である。スペルチェッカーはしっかり活用しよう。

11 無用なreply allはやめよう

メールの利用が多くなればなるほど、無用なメールを送らないことがより重要なマナーになってくる。

次のようなメールにはreplyで返事をすべきか、reply all（メールの発信者が送ったすべてのメンバーに返信すること）で返事をすべきか、どちらなのか考えてみよう。

Hi.

I am writing this mail to everybody who attended yesterday's meeting in 2-389. I found a floppy disk labeled "Important" in the meeting room.

2-389号室で昨日開かれた会議の出席者全員にメールを送っています。会議室で、「重要」というラベルの貼られたフロッピーディスクを見つけました。

If you left it, please let me know. I will mail it to you.

もし、あなたが置いていったものであれば、お知らせください。郵送します。

Christine

もし、自分がそのフロッピーの持ち主であれば、メールを送ってくれたChristineにだけreplyすればいい。reply allにしたとしても、送信者以外にとっては無用なメールになってしまう。

12 気軽に転送しない

すでに書いたように、システムによってはアドミニストレータ（情報管理者）がEメールを読むことができるし、企業によっては社員のEメールをモニターしているところもある。つまり、Eメールにプライバシーはないと考えたほうがいいだろう。

しかし、自分の書いたEメールを受信者以外に読まれることに抵抗を感じる人は多いはずだ。したがって、自分宛てに来たEメールを気軽に誰かに転送するのは考えものである。新しい情報やおもしろいニュースなどがあるとつい他の人にも知らせたくな

るし、転送はワンタッチでできるので気軽に転送してしまいがちだが、これは自分の受け取った手紙をわざわざコピーして他の人に送付するのと同じだと考えよう。

⓭ 不必要に履歴付きの返信を繰り返さない

　メーラー(Eメールを送るためのソフトウエア)によっては自動的に履歴付きの返信(自分の受信したEメールを引用したものを付けた返信)ができるようになっている。受信するほうも自分の出したメールを再度確認しながら読めるので便利である。

　しかし、何回か受信と送信を繰り返す際に、受信者も送信者もこの履歴付きを続けると次のようなメールができあがる。これでは不要に大きな分量のメールを送ることになり、マナー違反になる。

Dear Allen,

My reaction is absolutely positive, although I will double check with the project members to ensure there are no objections.
反対意見がないかプロジェクトのメンバーに再度確かめますが、私は全面的に賛成です。

Best regards,
Fujio Takamura

> From: "Allen Kirk" <akirk@ABC.com>
> To: takamura_fujio@iroha.co.jp
> Subject: Re: Re: Meeting on Friday
> Date: Wed, 15 Mar 2000 12:22:55 +0900

> Dear Fujio,
> How are things going?
> I would like to invite you and your project members for
> dinner after the Friday meeting. How does it sound to you?
> 調子はどうですか？

Chapter I Eメールの基本

> 金曜日の会議の後、あなた方プロジェクト・メンバーの皆さんを夕食に招待
> したいと思っています。いかがでしょう?

> Best,
> Allen Kirk

>> From: takamura_fujio@iroha.co.jp
>> To: "Allen Kirk" <akirk@ABC.com>
>> Subject: Re: Meeting on Friday
>> Date: Wed, 1 Mar 2000 11:16:26 +0900

>> Dear Allen,
>> Thanks for the meeting arrangements on Friday.
>> All the project members are looking forward to
>> discussing the project with you.
>> 金曜日の会議の準備をしてくださってありがとうございます。
>> あなたと討論することをプロジェクトのメンバー全員が楽しみにしてい
>> ます。

>> Best regards,
>> Fujio Takamura

14 送信文書は可能な限りテキストで

　会議の打ち合わせなどのEメール交換で、非常に重いファイルが添付されて送られてくることがある。開いてみると、参考資料や会議のアジェンダ(議事進行予定表)など、当日スクリーン上に映し出すために作成されたプレゼンテーションファイルである。これもマナー違反である。色付きのものやアニメの入ったプレゼンテーションファイルは相当な重さになる。

　会議の打ち合わせであれば、色やアニメは必要ない。テキストだけで十分である。企業内のネットワークで常時インターネットに接続されているようなシステムならばいいが、自宅で電話線を通して受信している場合には、かなり長い時間をかけて受信をしなくてはならない。ヨーロッパのいくつかの国でも電話線を使った場合は時間ごとに課金されるので、相手にしてみれば大きな出費になる。

基本的な情報交換だけであればテキストで送るようにしたい。テキストであれば、受信者側がどのようなソフトを持っていてもたいていは読むことが可能である上に、ウイルスの危険性もぐっと低くなる。

15 お知らせメールはBccで送付

友達の友達だからといって必ずしも友達になりたい人とは限らない。ちょっとしたお知らせやおもしろい話をメールリストの知り合い全員に送る人がいるが、文面は次のようになるため、受け取った人同士はお互いのメールアドレスを知ることになってしまう。

From: "Phil Lim" <limp@sing.com>
To:　　"Lawrence Williams" <steel@telel.com>, "KY Wakamatsu" <majin@uchu5.pacnet.net.sg>, "Lim Park" <huche@ultra.ac.jp>, ……

Hi everyone, here is a story that is worth reading, I hope you like it. Best wishes to all!!
皆さん、こんにちは。耳寄りの話があります。気に入ってくれるといいな。よろしく!!

Victor

これは問題である。こういった資料が回り回って、自分のアドレスが知られたくない人に伝わってしまうこともある。これを防ぐためには、宛先を自分自身にして他の宛先はすべてBccにすることである。そうすると受信者には他に誰が受信しているか伝わらなくなる。

3 Eメールの基本的な構成と書き方

1 本文とヘッダー

一般的に英語のEメールは次のような形式になっている。

↓ ヘッダー

From: "Glen Conic" <glen_conic@oblen.com>
To: abcde@fghi.co.jp
Subject: Possible meeting date: 24 Dec.
Date: Thursday, November 27, 2000 8:34 p.m.

↓ 本文

Dear Ms. Aoshima,

> When people receive many e-mails every day, clear and direct subject lines are very important.

I would be honored to meet you while you are in Canada. Unfortunately, I will be in Winnipeg, Manitoba over the Christmas period, which is probably about 500 kilometers from where you will be staying.

あなたがカナダにいる間にお目にかかれれば、とても光栄だったのですが、残念ながら私はクリスマス期間中、あなたが滞在している場所から500キロも離れたマニトバ州のウイニペグにいる予定です。

I will be in Toronto on 24 December until early afternoon, and would be more than happy to welcome you to our office that morning. I suspect, however, that you will be wanting to make your way straight from Toronto to Ottawa.

12月24日の午後の早い時間まではトロントにいます。ですから、その日の午前中に私のオフィスにお出でいただけると大変助かります。ただ、あなたは、トロントからオタワへ直接向かわれたいのではないかとお察しします。

May I wish you a very happy Christmas with your family.
あなたとあなたの家族が良いクリスマスを迎えられますように。

Kind regards,
Glen Conic
Marketing Director, Obelon Corp.

ヘッダーには次の情報が含まれている。

送信者：From
Fromの後に書かれているのが送信者の名前と送信者のメールアドレスである。サンプルの英文Eメールの場合は、グレン・コニック氏が送信者で、コニック氏のメールアドレスがglen_conic@oblen.comであることが分かる。

受信者：To
Toの後に現れるのが受信者のメールアドレスである。当然、自分に来たEメールの受信者は自分になるわけだが、相手が複数の相手にメールを送付した場合は、ここに複数の受信者が並んでいる場合がある。その場合は自分以外に誰がこのメールを受信しているかが分かる。後で触れるがCc、Bccなどで受信した場合は、受信者に自分の名前が入っていない場合も考えられる。

件名：Subject
Subjectの部分に書かれているのが件名である。サンプルの場合はSubject: Possible meeting date: 24 Dec.とあるので、この部分を見てEメールの内容を推測することになる。英文のEメールを出す場合は、相手が日本語が読めないソフトを使っている場合や、日本語が読めるソフトを使っていても受信者自身が日本語を読めない場合もあるので、件名には英語を使うこと。

送信日：Date
Dateの後に現れている日時である。海外からのEメールの場合は時差を考慮するのを忘れないように注意しよう。昨日送られたメールだと思ったら、16時間の時差があるために、つい最近送信されたメールであることが判明することもある。サンプルの場合はThursday, November 27, 2000 8:34 p.m.とあるので、現

Chapter I Eメールの基本

地のカナダで11月27日の午後8時34分に送付されたものだと分かる。

② 件名に含まれるReやFwの意味

Eメールを使い始めて数ヵ月も経つ頃には、メールボックスに数十通ものEメールが届いていることもあるかもしれない。アンケートに書いたEメールアドレスをもとにお知らせが回ってくることもあれば、メールマガジンが届いていることもある。また名刺にEメールアドレスを印刷してある場合は、以前出会ったビジネスの相手がメールでコンタクトしようとしてきているのかもしれない。

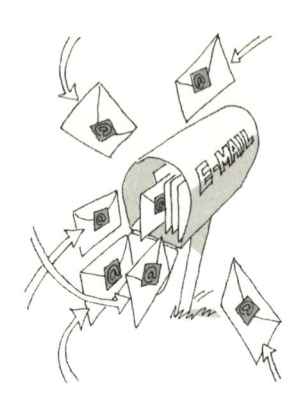

真っ先に返事をしなければならない重要なメールもあれば、ちょっと目を通しただけで削除しても支障のないメールもあるはずである。そんなときに頼りになるのは件名の一覧である。それぞれのEメールの件名からどのような内容なのかがかなり推測できるはずである。その手がかりとしてReとFwがある。

■ Re

自分の書いたメールの件名にReが付いているEメールが届いたときは、自分の出したEメールへの返事だと考えていいだろう。

Generally, you should not change the subject line when replying (Re:), or forwarding (Fw:).

初めて見る件名にReが付いているEメールを受信したときは、他の誰かが書いたメールに対する返事が自分にもコピーされて回ってきたと考えられる。

件名の付け方についてはChapter IIでさらに詳しく述べるが、基本的にEメールの返事を出すときは、受信したメールの件名を変えずにReを使うのが普通である。多くのメーラーは、返信の際には、自動的に件名にReを付けるようになっている。

3 Eメールの基本的な構成と書き方

■Fw

Fwが付いたメールは、誰かが、受け取ったメールを転送してきている場合である。重要なEメールを関係部署が転送してきた場合も考えられる。

> *Many jokes are forwarded by e-mail around the world.*

ただ、マナーのところで触れたが、自分向けの私信をむやみに他人に転送するのは考え物である。転送する前にもう一度転送が妥当なものかを考えよう。

3 Cc／Bccの使い方

■Cc

"Cc"の語源はcarbon copyである。まだタイプライターを使っていた時代には、書類の下にカーボン用紙を挟んで、もう1枚白紙を置き、カーボンコピーと呼ばれる複製された書類を作っていた。コンピュータの時代になっても、当時の英語がそのまま残り、現在でも使われている。

> *Cc: is used to send the same message to more than one person.*

同じEメールを、宛名以外の人にも参考として送付する場合に、Ccを使う。Eメールのアドレスが次のように表示されている場合は、自分に届いたメールがCcであることが分かる。

From: "Courtney Ternienko" <C_ternienko@BYO.co.jp>
To: L0987038@online.ne.jp
Cc: C_taylor@BYO.co.jp
(Bcc: enomoto_koji@loa.com)
Subject: Meeting with Kart Maze
Date: 3 Mar 2000 21:44:02

Dear Ms. Kazumi Kizu,

Thank you for your e-mail of 14 July, and many

apologies for the long delay in replying. We are making arrangements for Mr. Sims to meet with Chris Taylor, the President of BYO Corporation in Kobe. This is the name of our new joint venture with IBJ.

7月14日付けのEメールをありがとうございます。そして返事が大変に遅れてしまったことをお詫び申し上げます。シムズさんが、神戸にあるBYO社の社長であるクリス・テイラーと会えるよう手配をしております。BYO社とは、IBJと私どもの新しいジョイントベンチャーの名前です。

If your timing allows, I would be delighted to effect an introduction, and we would be honored if you could join Mr. Sims at his meeting with Chris Taylor.

時期がうまく合えば、ご紹介できるようにいたしたいと考えております。またあなたさまもシムズさんとクリス・テイラーとのミーティングにご同席いただければ、光栄です。

Best Regards,
Courtney Ternienko

■ Bcc

前項のサンプルのヘッダーにBccというかっこ付きのアドレスが表示されている。これはblind carbon copyの略である。この場合はBccを使ってenomoto_koji@loa.comというアドレスに送付されていることが分かる。

しかしBccが受信メールに表示されるのは、Bccでコピーを受信した人だけである。したがって受信者の木津和美さんとCcで受信したクリス・テイラーさんには、このメールのコピーが2人以外の榎本さんに送付されていることを知ることはできない。

To: Ms. Kizu
Cc: Mr. Taylor
Bcc: Mr. Enomoto

3 Eメールの基本的な構成と書き方

このBccを使う目的は主に次の2つである。

Bccの受信者にメールを送ったことをToやCcの受信者に知られたくない場合。たとえば会社の顧問弁護士やコンサルタントにコピーを送る場合など。

Bccで送った人のプライバシーを考えてメールアドレスを他の受信者に公開しない場合。これはp.23で取り上げたお知らせメールなどの場合にあてはまる。

ビジネスのEメールの場合は、企業の規則を確認しよう。企業によってCc、Bccの使い方を規定しているところがあり、それぞれの企業によって規定は異なっている。たとえば自分の送付するEメールの大半を上司や同僚にコピーして送っていたら、社員全員が膨大な分量のメールを受け取ることになってしまうことも起こり得るからだ（実際にこの問題が起きている会社は少なくない）。

> *It is a good idea to check your company's policy on Cc: and Bcc:. Each company is different.*

4 肩書きの使い分け

p.19で、「Eメールの書き出しは、普段相手を呼ぶのと同じように」と書いたが、インターネットで送受信するEメールの特性を考えると、会ったことのない相手にEメールを送ったり、会ったことのない相手から送られたメールに返事を出すことも多いはずである。

> *Use Mr./Ms. for someone in a business or personal situation where you do not know the person.*

相手のことを知らない場合は、プライベートでもビジネスでも基本的にはMr.／Ms.のどちらかを使うのが基本である。プライベートではまだ使うことが少なくないが、現代のビジネスでは、Mrs.は使わなくなったと考えてもいいだろう。通信をしていくうちに相手がMrs.を好むことが分かってきたら、ある時点でMrs.に切り替えるというのもよく使われる対応法であるが、女性の場合のみ結婚しているかどうかによってMiss／Mrs.を使い分

けることに差別を感じる人が多いので、やはり肩書きはMs.が無難である。

一方イントラネットでは、同僚が対象になるので、この章の始めに紹介したような、Hiで始めてファーストネームで呼びかける形式がよく使われる。日本の外資系企業の中では日本式に姓に-sanを付ける（例：Hi, Matsuoka-san.）という方法をとっているところもある。

ただし、何回かメールの交換が続いているときは、たとえ一度も会ったことがない相手でもファーストネームを使った呼びかけでメールを始めることは珍しくない。相手がファーストネームを使ってきたことに気付いたときは、こちらもファーストネームに切り替えることで、相手が提案してきた、より親しい関係を受け入れるという合図になる。

最後に、相手がPh.D.（博士号）を持っている場合は、男性女性にかかわらずDr.で呼ぶことも覚えておこう。とりわけ博士号が意味を持つ世界（教育・研究など）では、相手の学位に敬意を払うことが重要となる。一度会って名刺を交換した人で、名刺の名前の下か後ろにPh.D.（例：Philip Jones Ph.D.）とあれば、博士号を持っている人だと分かる。

MBA (Master of Business Administration：経営学修士) などの修士レベルは、あえてMasterと書く必要はない。また大学で教えている教員に関しては、通常はProfessorを付けて宛名を書く（例：Professor Richards）。相手の肩書きがAssociate Professor（準教授）やAssistant Professor（講師）でも宛名はProfessorのみとするのが普通である。

5 良いパラグラフとは何か

すでにサンプルで見てきたように、英文Eメールの本文は、いくつかの文章のかたまりでできている。これら1つ1つをパラグラフという。Eメールが他の英文と異なる点は、比較的短い単純な構造のパラグラフによって構成されているということである。

3 Eメールの基本的な構成と書き方

英文のパラグラフの構造は基本的に次のようになっている。

① 最初の1文はパラグラフの概要
② ①を補足、あるいは説明する事実、情報、理由など
③ 最後の1文はパラグラフのまとめ

Eメールでは、より焦点を絞った無駄のないパラグラフが望まれるため、①と②だけで③のないパラグラフや①のみのパラグラフも考えられる。場合によってはセンテンスが1つだけのパラグラフで意味が十分伝わるものもある。

> *Always keep one idea for each paragraph and put a space between each paragraph. Short, direct paragraphs are best.*

ここで、パラグラフの区切り方を知っておこう。ワープロソフトでタブを使ったりスペースを空けて段落を下げたりして、きれいにフォーマットしたものを貼り付けても、相手が受け取ったときは、そのように見えない場合も多い。箇条書きなどもテキストで送付した場合に消えてしまうこともある。したがってシンプルに左側にそろえて書くことが最も無難だろう。パラグラフの切れ目は行を空けて区切るようにするほうが受け手は見やすいはずである。

また「1つのパラグラフに重要なメッセージは1つ」という原則も頭に入れておこう。相手に対する要望と、自社の来年の予定などを同時に同じパラグラフに書くということは避けたい。

次のサンプルを見てみよう。それぞれのパラグラフに書かれているのは1つのメッセージである。またパラグラフの最初の文を読むとメッセージの概要が理解できるように書かれている。さらに、それぞれのパラグラフの間に行が空けてあり、読みやすくなっている。

Dear Mr. Adams,

Thank you for your interest in working as a summer intern at Dai-ichi Automotive.

第一自動車での夏期のインターンへご関心を持っていただき、ありがとうございます。

Unfortunately at this time, the application period for the summer positions has already expired. Because of this, we will not be able to consider your application.

残念ながら、現在すでに夏期の業務に関しての応募期間は終了しております。そのために、あなたのお申し込みについて検討することができません。

The deadline for our fall interns is 15 June. We do hope you will resubmit your application at that time.

秋期のインターンの締め切りは6月15日です。その時点で申込書を再提出していただけることを願っております。

Again, thank you for your interest in Dai-ichi Automotive. We look forward to considering your application for the fall.

第一自動車にご関心を持っていただいたことに再度お礼を申し上げます。あなたの秋期のご応募を楽しみにしております。

注意

日本語の場合は周辺事情をまず述べてから最後に最も重要なメッセージを伝えるという論理展開をする場合が多い。そのため、日本語の文章構成と英文Eメールで使われるパラグラフの作り方は、相当に異なる。下のような日本語の文章は、結論が一番最後にあり、それまでの文はすべて結論を補助するようになっている。つまり、論理構成が逆になっているため、これを英語に直訳すると意味が伝わりにくいものになるので注意しよう。

　この度は、第一自動車の夏期インターンシップにご応募いただきましてありがとうございました。このインターンシップ制度は、今年度初めて試行いたしましたが、予想以上の応募があり、弊社としては今後も募集を続けていく意向でございます。

3 Eメールの基本的な構成と書き方

　さて、○○様の申込書に関しては、弊社事務局に到着いたしましたのが4月16日となっておりました。夏期の申し込みの締め切りは4月10日としておりましたため、誠に申し訳ございませんが、今回の夏期募集に関しましては選考外の扱いにさせていただかざるを得ませんでした。

6 本文に使われる略語や記号

■略語

　Eメールでは、文章を簡潔にするために略語が使われる場合が多い。代表的なものに次のようなものがある。ただしこれらの略語は主にプライベート用だと考えよう。ビジネス文書では、略語は正確な意味を伝えない危険性があるので極力避けたい。

> *Ask yourself when you use abbreviations:*
> *–Will the person understand?*
> *–Is it possible that the abbreviation might have two meanings?*

BCNU (be seeing you) また会いましょう
BTW (by the way) ところで
FWIW (for what it's worth) それの価値に見合った
FYI (for your information) 一応お知らせしておきます
IMHO (in my humble opinion) 私のようなものの意見ですが
LOL (laughing out loud) （あなたの書いてきたことを読んで）大笑いしました
NRN (no response needed) 返事は必要ありません
ROTFL (rolling on the floor laughing) おかしくて床を転げ回って笑う
RSN (real soon now) すぐにお願いします
RSVP (répondez s'il vous plaît) どうぞお返事ください
RTFM (read the fucking manual) マニュアル読めよ（マニュアルも読まずに質問をしてくるチャット仲間に放つ、荒っぽい言葉）
TIA (thanks in advance) あらかじめお礼を申し上げます
TTFN (ta-ta for now) ではさようなら
TTYL (talk to you later) あとで話そう

Chapter I Eメールの基本

■引用記号

多くのメーラーでは、reply（返信）の機能を使うと、送信されてきた文面が引用記号（＞）付きで履歴として現れてくることは、p.21でも触れた。

> *It is good etiquette to answer the e-mail in the context of the original message, removing unimportant information.*

もちろんマナーとして、不必要な履歴を付けて送付するのは避けるべきだが、それまでのEメールの交換の流れを再確認しながら、こちら側のメッセージを伝えるのには有効である。引用記号を使いながら、必要な部分を抜き出し、それに対して返信を付けていく方法は、英文レターよりも会話に近いEメールでのやり取りでは効果を発揮する。

❼ 添付

前項で触れたように、送信文書は、基本的にはテキストで送付するのがマナーである。

> *As a rule, try to put everything in the text of your e-mail, unless you are sure the reader has the available software to read an attachment AND there is an understanding that attachments are OK.*

世界に大きな脅威になったコンピュータウイルスのI LOVE YOUは添付ファイルによって広がった。知り合いからの、ファイルが添付されたメッセージを開くと、自動的に自分のアドレスブックに登録されている人にメールが送られてしまうというウイルスであったために、このウイルスは急激に世界に広まった。

したがって意味不明のメールや怪しい内容のメールが届いたときは、ひとまず疑ってみる必要がある。開けずにごみ箱に移せば普通は害がないが、受信者のこういった手間や心配を考えるとやはり添付は必要なときだけにすべきだろう。

ただ、Eメールに文書を添付する機能はうまく使いこなせれば便利である。一般的な添付ファイルには、次のような拡張子（extensions：ファイル名のあとに付いた英文字）が付いている。

.txt

基本的なテキストのファイルに付く拡張子。このファイルは、相手がマッキントッシュユーザーでもPCのユーザーでも、普通は開けないことはない。しかし、テキストファイルで送付されたものはフォーマットごと受け取ることはできない。したがって表やレイアウトに組み込まれた文章はこの形式では送付できない。

.rtf

Microsoft社が開発したリッチテキストファイルに付く拡張子。このファイルはテキストによく似ているが、多少のフォーマットを使うことができる。テキストと同様にマッキントッシュ、PCのどちらのユーザーにも開くことができる。ただし容量は多少重くなる。

.doc

Microsoft Wordのファイルに付く拡張子。ファイルをマッキントッシュ、PCで交換する場合には、リッチテキストにするほうが確実だ。

.pdf

Adobe社が開発したファイルに付く拡張子。グラフィックやレイアウトを相手に伝えたいときは効果的なファイルである。企業のレポートでこの形式を使っているところは少なくない。Adobe Acrobatで読み書きができる。読み込むだけであれば、Adobe Acrobat Readerを入手するといい。無料でダウンロードできる。

.xls

Microsoft Excelのファイルに付く拡張子。このファイルを開くには、Excelまたは、変換ソフトが必要。

.exe

プログラムファイルに付く拡張子。このファイルが一番危険である。これを開くと、ファイル自体が受信者のハードディスクに書き込みを行う。もちろんただのプログラムである可能性もあるが、注意して開くこと。

他にも次のようなグラフィック関係の拡張子があるが、とりあえず安全だと言えるだろう。

.bmp / .gif / .jpg / .pct / .png / .psd / .eps / .wmf

次のファイル形式はマルチメディアオーディオのもので、一般的には安全である。これらを開くにはマルチメディアプレイヤーが必要になる。最近のコンピュータのほとんどは、すでにメディアプレイヤーがインストールされている。

MIDI（Musical Instrument Digital Interface） 電子楽器とコンピュータ間でデータ交換するための国際規格
MP3（Moving Picture Experts Group 1 Audio Layer 3） 音声圧縮の国際規格
WAV（Waveform Format） Windows用のデジタル音声フォーマット

次のファイル形式はアニメ関係のものである。これらも比較的安全である。これらを開くにもメディアプレイヤーが必要である。

AVI（Audio Video Interleaved） Windows用のビデオファイルフォーマット
GIF（Graphic Interchange Format） 画像圧縮フォーマット
MPEG（Moving Picture Experts Group） 映像圧縮の国際規格

Chapter II

E メール 実践編

自己紹介

BUSINESS

1 入社後にイントラネットで自己紹介する
Self-introduction on entering company

外資系企業の多くは、企業内のイントラネットによってコミュニケーションをとっている。したがって、新入社員の挨拶も、上司を伴って各部署に行くというより、Eメールで社内に発信するスタイルのほうが多い。上司や人事部がアナウンスすることもあるが、自己紹介する企業もある。

メールの受け手は日本人だけとは限らない。受け手が英語しか読めないソフトを使っていることも考えられるので、英語で送付しなければならない場合が多い。また、直接会って挨拶ができるわけではないので、メールで良い印象を与える工夫も必要である。基本的にはフレンドリーな調子で、名前だけでなく専門性、履歴などを書くことで自分の特徴を伝え、次に会ったときに話しかけてもらいやすくするようなメールにしたい。

To: All Staff
From: takeda-h@happynet.com
Subject: New face in Accounting: Hitomi Takeda

Hi. I'm Hitomi Takeda, the new face you may have seen in Accounting. Today is my first day at HappyNet.

こんにちは。経理部に配属になりました武田ひとみです。今日がハッピーネットへの初出勤日です。

I'm excited to begin my new position at HappyNet. I know that I have many things to learn, and I'm sure that I

1 自己紹介 ・・・ BUSINESS

will have many questions as I get used to the accounting system here. I hope that I can count on your help.

ハッピーネットでの新しい仕事にわくわくしています。学ぶべきことがたくさんありますので、ここの経理システムに慣れてくるといろいろな質問が沸いてくると思います。そういうときに、助けていただけるとありがたいです。

At my previous job I was a junior accountant at a small publishing firm in Tokyo. I worked there for five years, while studying for the CPA exam at night school. Last summer I passed the CPA exam, and decided to apply my skills in a larger company.

以前の仕事は、東京の小さな出版社での経理でした。5年間、そこで働きながら、夜は学校でCPA（公認会計士）テストの勉強をしました。昨年の夏CPAのテストに合格したので、そのスキルをより大きな企業で活かすことを決心しました。

I look forward to the challenges and opportunities available to me at HappyNet. In the coming weeks, I hope to put some faces with all the names I've seen.

ハッピーネットでのやり甲斐のある仕事とチャンスに期待しています。来週には皆さんの名前と顔が結び付くようにがんばりたいと思います。

Regards,
Hitomi Takeda
Accounting

POINT 1 フレンドリーかつプロフェッショナルな雰囲気を
Be friendly, yet professional

第一印象は重要である。職場で評価されるには専門性を押し出すことである。日本企業では、新入社員の年齢や以前の役職などによって、接し方をある程度決めるが、欧米の企業では、専門性が人の評価の重要なポイントとなる。そこで自己紹介のメールには専門性や経験について一言付け加えたい。逆に個人的な情報はプロフェッショナルを求める社会ではあまり重視されない。趣味、年齢、家族の情報などは、自己紹介には不要であると考えていいだろう。

POINT 2 なるべく簡潔に
Keep it short

まずは名前と配属部署名を伝えよう。Accounting（経理部）のよ

Chapter II Eメール実践編

うに、自分の部署名にはtheを付けずに大文字で始めるのが一般的である。また、専門性をアピールするとは言ってもEメールにすべての経歴を書くことはできない。周りの人に価値を認めてもらう程度に簡単に書くことが基本的なマナーである。

POINT 3 前向きに
Be positive

新しい仕事への前向きな姿勢を言葉にすることは重要である。言わなくても分かってくれるはずという姿勢は、国際ビジネスの世界では通用しない。文章全体にポジティブな明るいイメージを出すために、形式的でも喜びを表すフレーズで始めたい。

USEFUL EXPRESSIONS

❶ 名前と部署を伝える

I'm Hitomi Takeda, the new face in Accounting.
経理の新人の武田ひとみです。

My name is Takashige Yamamoto, of Human Resources.
人事の山本孝重と申します。

❷ 前向きな印象を与える

I'm pleased to be working at HappyNet.
ハッピーネットに入社できて喜んでいます。

I'm happy to take on this new position at HappyNet.
ハッピーネットで新しい仕事ができて幸せです。

I look forward to working with everyone here.
皆さんと仕事ができることを楽しみにしています。

I'm excited about working at an Internet company.
インターネット企業で働けることにわくわくしています。

I can't wait to begin my work in international business.
国際ビジネスで仕事を始めるのが待ちきれません。

❸ 自分のキャリアや専門性を伝える

At my previous job I was in charge of customer support.
前の仕事では顧客サポートを担当していました。

I was the advertising director.
私は広告部長でした。

1 自己紹介 • • • BUSINESS

I used to work in Kyoto.
京都で以前仕事をしていました。

2 自己紹介に対する返事
Response to self-introduction on entering company

　自己紹介のメールに対する丁寧な返事は、新入社員にとって心強い。また、受け入れる側も、新しいスタッフが将来重要なパートナーになる可能性もあるので、温かいトーンで返事を書きたい。

To: takeda-h@happynet.com
From: parker-j@happynet.com
Subject: Re: New face in Accounting: Hitomi Takeda

Hi, Hitomi!

Welcome to HappyNet!
ハッピーネットにようこそ！

I'm John Parker. I work in Product Development, which is located in the office just below yours on the third floor.
私はジョン・パーカーです。あなたのオフィスのすぐ下の3階にある製品開発部にいます。

On behalf of everyone in my section, we would like to invite you over to Product Development for a cup of coffee and a chance to meet everyone when you have some free time. Just send me an e-mail when you get settled and we can arrange a time.
私の部のメンバー全員を代表して、製品開発部へお招きしたいと思います。あなたの空き時間にここのメンバーとコーヒーでもいかがですか。落ち着いて時間がとれるようになったらEメールをください。

In the meantime, we wish you the best in your new position at HappyNet.

Chapter II Eメール実践編

それまで、ハッピーネットでの新しい仕事が有意義なものであるように願っています。

Regards,
John Parker
Manager, Product Development.

POINT 1 勇気づける調子で
Give a warm welcome

新入社員はたいてい心細いものである。自己紹介を受けたら、温かく受け入れてあげる調子で返事を書こう。第一印象はとても重要である。ただし、全員が返事を書く必要はないだろう。例文のように、各部門の代表者が返事を書くだけで十分である。

POINT 2 手助けを求めやすいような調子で
Offer help or invite the person for a visit

同じ部署で働いているのであれば、分からないときには質問したり手助けを求められる、と思ってもらえる調子を文に加えよう。また、新入社員に見せておいたほうがいいようなことがあれば、仕事場を案内することができることを伝えてあげてもいいだろう。

USEFUL EXPRESSIONS

❶ 歓迎の言葉

On behalf of the marketing staff, I would like to welcome you to HappyNet.
マーケティングのスタッフを代表して、ハッピーネットへの入社を歓迎します。

We wish you the best in your new position.
あなたの新しい仕事が有意義なものであることをお祈りします。

Wishing you all the best at HappyNet, the technical support staff.
技術サポートスタッフ一同、ハッピーネットでの仕事が有意義なものであることをお祈りします。

❷ 手助けや案内を申し出る

If you need any help, my extension number is 321.
何かあれば、内線321に電話してください。

1 自己紹介 ••• PERSONAL

If you want, I'll show you around our office when it's convenient.
もし希望があれば、時間の都合がいいときに私たちのオフィスを案内しますよ。

PERSONAL

1 Eパルに自己紹介する
Self-introduction to online friend

　Eパル(キーパルともいう)はインターネット版のペンパルである。良いEパルが見つかれば、ネットワークを世界中に広げる新しい可能性にもつながる。

　英語を使うEパルの良い点は、世界中の人が対象になることだ。Eパルの募集をしているサイトもある。しかし、Eメールは決して100％安全ではない。自分のメールボックスに知らない人からのメールが入っていたら、いたずらか、ウイルスメールであるという可能性もある。そこで最初の行にまず自分が誰かをはっきり書いて相手を安心させる必要がある。プライベートな自己紹介メールの最も重要なポイントである。

To:　　　gturn@loa.com
From:　　tkato@kurkur.co.jp
Subject: Your e-pal posting on HappyNet

Hi, Greg.

I am Toru Kato, writing from Tokyo, Japan. I saw your posting for an e-mail pal on www.happynet.com.
私は加藤徹と申します。日本の東京から書いています。あなたのEパルの募集をwww.happynet.comで見ました。

I noticed that we share many of the same interests, so I thought that I would write.

私たちがたくさんの興味を共有していることに気付き、書いてみようと思ったのです。

You wrote that you enjoy scuba diving. Where have you dived? I've been to several places in the Pacific -- Guam, the Philippines, and Hawaii -- for diving vacations. I hope to go to Thailand next year. Do you have a favorite diving spot?

あなたはスキューバダイビングが好きだと書いていました。どこにダイビングに行ったことがありますか。私はグアム、フィリピン、ハワイなど、太平洋のいくつかの場所にダイビングに行きました。来年はタイに行きたいと思っています。好きなダイビングスポットはありますか。

You also mentioned that you are a fan of anime, Japanese-style animation. I belong to the anime club at my university. (I'm a fourth-year university student in Tokyo.) This year we created and printed a short, 30-page manga story. Manga is the Japanese word for what you call comic books. Unfortunately, the text is in Japanese, but I would be happy to send it to you. Just send me your postal address.

またあなたはアニメ、とりわけ日本のアニメのファンだと書いていますね。私は大学のアニメクラブにいます（私は東京の大学の4年生です）。今年、30ページの短い漫画本を印刷しました。漫画はコミックブックとあなた方が呼んでいるものの日本語です。残念ながら文字はすべて日本語ですが、喜んでお送りしますよ。郵送用の住所を送ってください。

What sort of anime do you enjoy? I would be interested in trading some made-in-Japan anime for comics and/or videos from your country. I would like to learn about the fantasy art of other countries.

あなたはどのような種類のアニメを楽しんでいるのですか。私はあなたの国の漫画やビデオと日本製のアニメを交換することに関心があります。他の国のファンタジーアートを学びたいと思っているので。

Here are the links to my club's home page and my personal home page, in case you would like to learn more about Japanese anime and me.

もしも日本のアニメと私についてもっと知りたいときは、ここに私のクラブのホームページと個人のホームページのリンクがあります。

My club's home page: www.animeclub.co.jp

1 自己紹介 ••• PERSONAL

My personal home page: www.happynet.com/tkato
Unfortunately, most of the information is in Japanese, but we are trying to add more English when we get a chance.

クラブのホームページ：www.animeclub.co.jp
個人のホームページ：www.happynet.com/tkato
残念ながらほとんどの情報は日本語です。しかし機会があれば、英語をもっと増やそうと思っています。

Please write when you get time.
時間のあるときに返事をください。

Regards,
Toru Kato
tkato@kurkur.co.jp
www.happynet.com/tkato

POINT 1 趣味を共有できるサイトを探そう
Find an online community where you share interests

Eメールは気楽に文通できる手段である。郵便局に行く必要もないし、便箋や封筒を用意する必要もない。しかし何も知らない人と文通をすると、すぐに書くことがなくなってくる。その点Eパルが趣味を共通する人の場合はずっと楽である。そのためにも自分の興味のあるサイトからまず同じような趣味を持つ人を探すことが1つのポイントである。

POINT 2 メールを出すことになった契機について知らせる
Tell how you know the receiver's e-mail address

自己紹介をする際、相手の警戒心をなくすために、どのように相手のメールアドレスを手に入れたかを伝えよう。また、職業や趣味など、なるべく相手が興味を持ち、質問してくれそうな情報についても書き添えよう。

POINT 3 簡単に個人情報は伝えない
Be careful not to give personal information

インターネット上でうそを見破ることはやさしいことではない。そういう意味ではインターネットは決して安全な場所ではない。住所、電話番号、クレジットカードの番号など重要な個人情報は、相手が信頼できると確信が持てるまで、簡単に伝えないことだ。

Chapter II Eメール実践編

POINT 4 返事をせかさない
Be patient

ネット上の告知に予想以上の反響がある場合がある。相手がすぐ返事をくれなくても1週間は待ってみよう。それでも返事がない場合は、その意志がないと判断して別のEパルを探そう。

POINT 5 質問をすること
Ask questions

Eパルとの話題で適切なものは、1）自分の住んでいる場所、2）職場や学校、3）趣味、4）相手がホームページ上に書いてあることなどである。相手に興味を持っていることを示すためにはなるべくたくさんの質問をしよう。

USEFUL EXPRESSIONS

❶ 自分が誰かを伝える

Mr. Minoru Ishiguro gave me your e-mail address.
石黒実さんが私にあなたのメールアドレスを教えてくれました。

I saw your posting for an e-mail pal on www.happynet.com.
あなたのEパルの募集をwww.happynet.comで見ました。

I found your e-mail address in the Hyper Magazine.
あなたのメールアドレスをハイパーマガジンで見つけました。

I saw your posting on HappyNet, and I see that we have many things in common.
ハッピーネットであなたの募集を見て、私たちに共通点が多いと思いました。

❷ 自分の情報を伝える

I'm a graduate school (/university/high school) student.
私は大学院生（／大学生／高校生）です。

I work in a small (/medium size/large) company in Tokyo.
私は東京の小さな（／中規模の／大きな）会社に勤務しています。

I'm interested in tennis, parasailing, and golf.
私はテニスとパラセイリングとゴルフが好きです。

In my free time I enjoy gardening bonsai trees, and I am a volunteer at a nursing home twice a month.
暇なときは、盆栽いじりをしたり、月2回、ボランティアで老人ホームを訪れたりしています。

1 自己紹介 ・・・ **PERSONAL**

2 Eパルからの返事
Response from online friend

Eパルとのメール交換は次のようなやり取りで進む。相手の書いてきたことになるべく反応しながら情報交換をしていこう。

To: tkato@kurkur.co.jp
From: gturn@loa.com
Subject: Re: Your e-pal posting on HappyNet

Hi, Toru.

Thank you so much for your e-mail!
Eメールどうもありがとう！

I just looked at both of the home pages, yours and your club's, that you told me about in your e-mail. I was really impressed with the design. I especially liked looking at examples of your club's manga.

Eメールで教えてくれた君のホームページと君のクラブのホームページの両方を見たところです。デザインにとても感動しました。特に君のクラブの漫画作品が気に入りました。

I would love to trade some of the popular American comic books for some Japanese manga. As you know the style is different, but I think both are very interesting. I would also enjoy looking at your club's manga story.

人気のアメリカン・コミックブックの何冊かと、日本の漫画の何冊かをぜひ交換してください。君も知っているように、スタイルは違うけれど、両方ともてもおもしろいと思います。君のクラブの漫画も読みたいです。

My address is:
Greg Turner
321 Main Street
Miami, Fl 54321
U.S.A.

Tell me a little more about the kind of topics in which you are interested. Do you like superheroes or stories based on animals and monsters? Have you seen GoreMaster? It's my favorite comic book now. Let me know what you like, and I'll send you some comic books soon so we can begin trading.
君が興味を持っているのが、どんな種類の話題なのかということをもう少し詳しく教えてください。スーパーヒーローものが好きですか？ それとも動物や怪物を描いたものですか？ ゴアマスターを見たことはありますか？ 今僕が一番気に入っているコミック本です。君の好きなものを教えてくれれば、すぐにコミック本を何冊か送ります。交換を始めましょう。

Oh, and don't forget your address.
あっ、それから君の住所も忘れないで。

I look forward to trading with you.
君との交換を楽しみにしています。

Regards,
Greg
gturn@loa.com

To:　　　gturn@loa.com
From:　　tkato@kurkur.co.jp
Subject: Re: Re: Your e-pal posting on HappyNet

Hi, Greg.

> I was really impressed with the design.
> デザインにとても感動しました。

Thank you.
ありがとう。

> Tell me a little more about the kind of topics in which
> you are interested.

1 自己紹介 ••• PERSONAL

> 君が興味を持っているのが、どんな種類の話題なのかということをもう少
> し詳しく教えてください。

My favorite manga now are about sports themes. If you have sports comic books, I would like to trade for them. If you don't, I also enjoy superhero stories.

今僕が気に入っている漫画はスポーツをテーマにしたものです。もし、君がスポーツのコミック本を持っているなら、それらと交換したいです。もし持っていなかったら、スーパーヒーローものでもいいです。

My address is:
Toru Kato
1-2-3 Chuo
Higashi-ku, Tokyo
123-4567
Japan

BTW, I sent my club's manga to you this afternoon. Let me know when you get it and what you think of it.

ところで、今日の午後、僕のクラブの漫画を送りました。いつ受け取ったか、それから、どう思ったか教えてください。

Regards,
Toru Kato
tkato@kurkur.co.jp
www.happynet.com/tkato

POINT 1 返信の書き出しにはまずお礼を
Thank the sender for the mail you received

メールが来たら、とりあえずお礼から書き始めよう。それから用件に入ること。

POINT 2 ほめることから始めよう
Include praise

日常会話でも同様だが、新しく出会った人との会話の始まりとして、最も妥当なのは相手をほめることである。相手のウエブサイトの印象について、または相手の国について知っていることなど、どのようなことでもいいので、ほめたいと思うことを探して書こう。

Chapter II Eメール実践編

USEFUL EXPRESSIONS

❶ お礼を述べる

Thank you so much for your e-mail.
Eメールをありがとう。

I was very happy to receive your e-mail.
あなたのEメールを受け取ってとてもうれしいです。

Thank you for your quick reply.
素早いご返信ありがとうございます。

❷ 相手をほめる

I was very impressed with the contents of your home page.
あなたのホームページの内容にはとても感心しました。

I always wanted to hear from someone studying in Japan.
日本で勉強している人から連絡をもらいたかったのですよ。

❸ ホストファミリーへの自己紹介
Self-introduction to host family

最後に子供がホームステイに行く際の両親からホストファミリーへのメールを付け加えておこう。

To: wjackson@loa.com
From: e-sato@kasakasa.ne.jp
Subject: Greetings from the Satos in Japan

Dear Mr. and Mrs. Jackson,

We are the parents of Hiroaki, the boy you will be hosting in August.
私たちは、8月にあなた方が預ってくださる少年、ヒロアキの両親です。

We would like to take this opportunity to thank you for your gracious offer to host our son this summer. It is very kind of you to take a child from another country into your home.

1 自己紹介 ・・・ **PERSONAL**

この夏、私たちの息子を預ってくださるというありがたいお申し出に対し、この機会に感謝を申し上げたいと思います。異国の子どもを家庭で預り面倒をみてくださるなんてあなた方は本当に親切です。

Hiroaki has been looking forward to going to America all year. When the information about your family came, he was so excited.

ヒロアキはアメリカに行くことをずっと楽しみにしています。あなた方のご家族の情報をもらったときには、とても興奮していました。

Hiroaki tends to be a little quiet at times, so please do not be concerned if he does not seem to be very outgoing. He may have what you call a "poker face" sometimes, but this does not mean he is not having a good time.

ヒロアキはときとしてややおとなしくなりがちです。もし彼があまり社交的でないようでも、気にしないでください。ときどき「ポーカーフェイス」と呼びたくなるような面も持っているかもしれませんが、それは、彼が楽しんでいないということではないのです。

We hope that you will treat Hiroaki as you do your own children. He should help with the household chores and be expected to obey all the rules of your household.

あなた方がご自身のお子様たちにしているようにヒロアキに接してほしいと思います。家事をさせ、あなた方の家庭のルールはすべて守らせてください。

Again, we thank you for welcoming our son to your home this summer. If you have any concerns or questions before or during his visit, please do not hesitate to send e-mail.

今年の夏、私たちの息子をあなた方のご家庭で受け入れてくださることに、再度感謝を申し上げます。彼の滞在の前に、または滞在中、何か問題や質問などがありましたら遠慮なくEメールを送ってください。

Kind regards,
Ichiro and Emiko Sato
e-sato@kasakasa.ne.jp

POINT 1 自分が誰かをまずはっきりと伝えよう
Identify yourself

ここでも同様に「子供がホームステイする予定である」ことを冒頭にまずしっかり書いて相手の警戒心を解く必要がある。

51

Chapter II Eメール実践編

POINT 2 お礼の表現は豊かに
Use various thanking expressions

Thank youだけがお礼の表現ではない。なるべく同じ表現を多用せずに、さまざまなフレーズを使って感謝の気持ちを表したい。

POINT 3 子供の情報を具体的に伝える
Send information about your child

ホストファミリーに送るメールの最も実務的な目的は、子供の情報を伝えることだろう。それもできれば具体的なほうがいい。例文のように、自分の子供が表情が乏しく誤解を受けやすい性格であれば、事前に伝えておく必要があるし、また食べられない食品、アレルギーなどの情報も重要である。

USEFUL EXPRESSIONS

❶ 自分が誰かを伝える

I am mother of Ai, the girl you will be hosting from next week.
あなたが来週からホストする愛という女の子の母親です。

My name is Mitsuya Akiyama. My son, Tamio, is going to stay with you in August.
私の名前は秋山光也です。息子の民雄が8月にお宅に滞在します。

❷ お礼を述べる

We would like to take this opportunity to thank you for your gracious offer to host our son this summer.
この機会に今年の夏、私たちの息子をホストしていただけるというご好意に感謝いたします。

I appreciate your kind offer to host Risa from June.
6月から理沙のことをホストしていただくというご親切に感謝します。

Thank you again for welcoming our daughter.
娘を歓迎していただくことに再度お礼を申し上げます。

❸ 子供の情報を伝える

Hiroshi tends to be a little reserved.
宏は少し控え目になりがちです。

Yuki is quite responsible.
由貴はかなり責任感があります。

招待 2

Invitations

BUSINESS

1 新製品発表イベントへの招待
Invitation to see a new product

　招待状にEメールを使うことにはさまざまな利点がある。一度に多くの人に送付できるので費用対効果が高く、そのためビジネス上では、イベントへの顧客の招待などにも使われるようになってきている。また、企業のパーティへの招待状も、Eメールを使うことで印刷、発送の手間が省けるので好まれる。ただしChapter Iのp.13で書いたように、Eメールはインフォーマルな通信手段だと認知されているため、正式なパーティへの招待状は郵送することが常識である。

　第2の利点は、返信が気軽にできるということにある。郵便の場合は返信用のはがきや封筒をポストに投函しなければならないのに対して、Eメールでは返信用のアイコンをクリックするだけなので回収率が高くなる。

　次のメールは、武田ひとみさんの入社したハッピーネットが得意先に送付した、新製品の展示会の招待状である。国内の顧客を対象にするものだけではなく、世界を対象にした国際見本市などのイベントの招待にも、こういった英語でのEメールは広く使われている。

Subject: Invitation to see SpeedPrint 2010 copier

Dear Mr. Giles,

HappyNet is proud to invite you to visit our new

Shimbashi showroom to see the newest addition to our copier line, the SpeedPrint 2010.

ハッピーネットは誇りを持って、弊社の新しい新橋ショウルームに新タイプのコピー機「スピードプリント2010」をご覧にご来場いただけるようお招きいたします。

As a user of the SpeedPrint 2000, you know that our products are reliable and cost-efficient. The SpeedPrint 2010 sets a new standard for reliability, speed, and cost. In comparison to the model you are currently using, SpeedPrint 2010 is 30% faster, and the cost per copy is actually 20% less.

「スピードプリント2000」ユーザーとして、弊社の製品が信頼性があり、投資効率が高いことはご存知のことと思います。「スピードプリント2010」は、信頼性とスピード、価格面で新しい基準を設定します。現在あなたが使われているモデルと比較して、「スーパープリント2010」は30％速く、コピー1枚当たりのコストは実際には20％安くなります。

As one of our preferred customers, we are offering you the opportunity to acquire SpeedPrint 2010 at a special pre-release price.

弊社のお得意様として、「スピードプリント2010」を発表前の特別価格で手に入れられます。

Our new showroom is located in the heart of Shimbashi, just a few minutes from the station. We hope that you will be able to visit us and lock in your special discount before our Grand Opening on 28 May.

弊社の新しいショウルームは駅から2～3分の新橋の中心に位置しています。ご来場いただき、5月28日のグランドオープニングの前に、この特別ディスカウントで手に入れていただけることを願っております。

You can set up an appointment by replying to this e-mail.

このEメールにご返事いただければ、ご来場予約とさせていただきます。

Regards,
Emiko Uekawa
Sales Representative
HappyNet, Inc.
emiko.uekawa@happynet.com

2. 招待 • • • BUSINESS

POINT 1 必要な情報をすべて含める
Include all place, time, and date details

招待のメールには、イベントの日にち、時間、場所、その他必要な情報を含んでいるかどうか再確認すること。地理に不案内な外国人を招待する場合には、会場までの交通手段や、英語で話が通じる電話番号などの情報も必須である。最近ではホームページ上に簡単な地図を載せている場合も少なくない。英語のホームページがあるなら、そのアドレスを含んでいることも確認しよう。

POINT 2 商品名や社名を積極的に使おう
Use product and company names

相手に自社の商品を覚えてもらうために、商品名を積極的に使おう。itという代名詞はなるべく使わないで、SpeedPrint 2010という商品名を積極的に使うことである。our new productあるいはthe copierという言い換えもあるが、これも避けて、商品名が頻繁に顧客の目にとまるようにしたい。同様に社名も頻繁に使いたい。We are proud to invite you to…という表現よりは、あえてHappyNet is…としたほうがこの場合には効果的である。

POINT 3 選ばれた顧客という印象を与える
Give the impression that the receiver is a selected customer

「お得意様」に一番近い言葉はpreferred customersだろう。自社の製品をよく使ってくれている顧客を企業がしっかり把握していることをアピールできる表現である。特別重要に扱ってもらっているという意識を顧客に持たせるためにも使いたい。

POINT 4 Eメールでの返事を勧める
Ask the receiver to reply to the e-mail

Eメールの招待状に対しての返事はEメールが一番楽である。Eメールでの返事がそのまま申し込みになる旨を、招待状の最後で触れておくと、参加率の向上が見込まれる。

USEFUL EXPRESSIONS

❶ 顧客への招待状の決まり文句

HappyNet is proud to invite you to see (/experience) our new product.

ハッピーネットは誇りを持って、新商品をご覧に(/試しに)ご来場いただけるようお招きいたします。

❷ 返事による予約の案内

You can set up an appointment by replying to this e-mail.
このEメールにご返事いただければ、ご来場予約とさせていただきます。

Please call 03-9876-5432 to schedule a time.
03-9786-5432に電話をして時間の段取りをつけてください。

2 親しいビジネス関係者にインフォーマルな招待状を送る
Informal invitation to a familiar business contact

次のEメールは、親しいビジネス関係者に送る忘年会の招待状である。出だしのHi, Gale.からも分かるように、ファーストネームで呼び合えるような付き合いの深いビジネスパートナーだと考えていいだろう。

Subject: Invitation to join our year-end party on 19 December

Hi, Gale.

As you may know, many companies have year-end parties in December. I would like to invite you and your colleague, Miyata-san, to join us in celebrating the end of the year on 19 December.
ご存知のように、12月になると、あちこちの会社で忘年会が行われています。あなたと同僚の宮田さんを19日の忘年会にご招待いたします。

We've reserved Chez Moi, a really nice French restaurant downtown, from 6 p.m. to 9 p.m., and we will probably go out for drinks afterward. You are invited to join us for dinner and/or drinks.
ダウンタウンのすてきなフレンチレストランのシェモアを午後6時から9時まで予約してあります。その後はたぶん飲み会になると思います。夕食と飲み会の両方、もしくはどちらかにご招待いたします。

I do hope you can come. Please let me know by the end of the week.
来ていただけるといいのですが。今週末までにお知らせください。

> Regards,
> Yuri Nakata
> Human Resources
> Sports Japan

POINT 1 外国人のビジネスピープルを積極的に誘おう
Invite foreign expats

日本に派遣された外国人のビジネスピープルは、外国人同士でプライベートな集まりを開くことは多いが、日本人のプライベートな集まりに招待される機会はあまり多くない。ちょっとした集まりにまめに誘ってあげるのは、ビジネスパートナーとしての関係を深める上で有効である。ぜひ一度このようなEメールで誘ってみよう。

POINT 2 誘いは少し強引でも問題なし
Show your enthusiasm

とりわけセミプライベートの招待メールは、ちょっとしたヒューマンなタッチが好まれる。来てほしい気持ちを素直に表現するほうが好感を持たれるので、「招待します」という文だけでなく「ぜひおいでください。お待ちしています」といったニュアンスが含まれる文章を入れておこう。

USEFUL EXPRESSIONS

❶ パーティの場所と開始時間を伝える

We've reserved Chez Moi, a really nice French restaurant downtown, from 6 p.m. to 9 p.m.
ダウンタウンのすてきなフレンチレストランのシェモアを午後6時から9時まで予約してあります。

The party starts at 9 p.m.
パーティは午後9時に始まります。

❷ 一般的な誘い

I would like to invite you and your colleague, Miyata-san, to join us in celebrating the end of the year on 19 December.
あなたと同僚の宮田さんを19日の忘年会にご招待いたします。

❸ ヒューマンなタッチの誘い

I hope you can come.
お出でになれることを願っております。

We do hope that you can join us (/attend).
ぜひご参加いただけることを願っております。

3 講演者を招待する
Inviting someone to speak at your school, business or club

シンポジウムやカンファレンスの主催は、ビジネスの発展やネットワークの拡大に効果があるため、北米やヨーロッパで頻繁に実施されている。こういった企画の成功は、講演者やパネラーの人選にかかっている。国内外の有名人や時の人を招待するEメールを取り上げてみよう。

Subject: Invitation to speak at Japan Society meeting

Dear Ms. Hayashi,

The members of the Cal Tech Japan Society have admired your pioneering work in Japanese filmmaking for many years, and would enjoy hearing more about your work. We would like to invite you to participate in our winter symposium, "New Directions for Japanese Filmmaking," to be held at the Cal Tech center on 20 January 2001.

日本カルテック・ソサエティの会員は日本映画界における林様の先駆者的作品を、常々賞賛してきました。今後の作品にも期待しています。この度、日本カルテックセンターで2001年1月20日に開催されます冬季シンポジウム「日本映画の新しい方向」にご参加いただけるようご招待したいと思います。

Our yearly symposiums are well attended, with about 200 participants each year. We expect the theme for this year, Japanese filmmaking, will be equally popular.

私どもの年次シンポジウムは、例年200名にも及ぶ多くの参加者を迎えております。今年のテーマ「日本映画」は、今まで同様に人気が出ると考えています。

2 招待 ・・・ BUSINESS

The symposium will consist of a panel of 3-5 members, depending on who is available, but we hope to include at least two filmmakers, Janet Sato from the LA Times, and Professor Quirk from U.C.L.A.

皆様のスケジュールにもよりますが、シンポジウムは3人から5人のパネラーによって構成されることになります。少なくとも2人の映画作家の方にご参加いただきたいと希望しております。LAタイムズのジャネット佐藤さんと、UCLAのカーク教授です。

We would like each participant to give a 20-30 minute talk, and then to participate in a panel discussion afterward. Simultaneous translation will be available.

各参加者の方々に、20分から30分のお話をしていただき、その後パネルディスカッションに入っていただきたいと考えております。同時通訳のご用意もできます。

We will, of course, cover your travel expenses and accommodations while you are here.

もちろん、当地にご滞在中の旅費、宿泊費は私どもによって負担させていただきます。

We do hope that you will be able to join us for our symposium. Kindly reply by 30 June. In the meantime, please do not hesitate to get in touch with me should you have any questions.

シンポジウムにご参加いただけることを願っております。お返事は6月30日までにお願いいたします。その間にご質問等ありましたら、ご遠慮なくお問い合わせください。

Regards,
Andy Suzuki
President, Cal Tech Japan Society
Phone/Fax 321-456-7895

POINT 1 どのようなタイプのイベントかを知らせる
Specify the type of event

講演会などの招待のメールには、次のような概要を含む必要がある。

- 予想される聴衆の人数
- 他の講演者

Chapter II Eメール実践編

- ■講演時間の長さ
- ■使用可能な設備機器
- ■イベント全体のスケジュール

POINT 2 依頼は冒頭のパラグラフで
Clarify the main point first

日本語の文章だと、どうしても周辺事情から手紙を書き始めて、最後に講演の依頼が来るという構成になりがちである。Eメールの場合は簡潔であることが最も重要なので、依頼はなるべく冒頭のパラグラフに書いておきたい。

POINT 3 いつまでに返事がほしいか伝える
Include a date or time by which you want an answer

イベントなどの講演者の依頼は、なるべく早めに行うほうが、忙しい講演者のスケジュールを押さえるためにも有効である。依頼を断られた場合も早めに次の候補者に打診できる。したがって「いつまでに返事をもらいたい」という具体的な日程を含んでおくことである。

USEFUL EXPRESSIONS

❶ 講演を依頼する

We/I would like to invite you to speak at our symposium (/meeting/conference).

私どものシンポジウム(／会議／カンファレンス)でご講演いただきたくご招待いたします。

❷ 日程を示す

The symposium is on 20 January 2000.
シンポジウムは2000年1月20日です。

The conference is on Monday, 27 November 2000.
カンファレンスは2000年11月27日月曜日です。

❸ 返信の期日を伝える

Kindly reply by 30 June.
お返事は6月30日までにお願いいたします。

Please let me know by the end of the week.
どうか今週末までにお知らせください。

PERSONAL

1 ホームパーティに招待する
Invitation to home party

　プライベートな招待状の例として、新居でのホームパーティへの招待状を取り上げてみよう。次の文には宛名がない。これは、多くの人に同じ内容で送る招待状として書かれているものだからだ。あえて入れるとしたら My dear friends, といった宛名がいいだろう。

Subject: Invitation for dinner party at the Katos' new place

Keiko and I have moved, and we are hosting a party at our new condominium in Minato-ku on Saturday, 15 September starting at 6 p.m. We hope that you can come for an evening of friends, food, and good conversation.

慶子と私は引っ越しました。そして、9月15日土曜日の午後6時から港区の新しいマンションでパーティを開きます。どうか友人たちとの食事と会話を楽しむためにお出でください。

I'll be in charge of the barbecue and Keiko has promised to make some temaki-zushi, which is a special rolled sushi. While all the food will be provided, you might want to bring a bottle of wine or your favorite drink.

私はバーベキュー担当です。慶子は、手巻き寿司（特別な巻き寿司）を作ると約束しました。食事の準備はできているので、ワインなどお好きな飲み物をお持ちいただければ幸いです。

We do look forward to seeing all our friends again. RSVP by 8 September so we can make preparations.

お友達の皆さんとまたお目にかかれることを本当に楽しみにしています。お返事は9月8日までにいただければ準備に間に合います。

Regards,
Satoru and Keiko Kato

Chapter II Eメール実践編

POINT 1 パーティの形式を伝え協力を求める
Ask your guests for help

プライベートなパーティでは、ホストが食事を用意する場合もあるが、学校や会社での歓迎パーティなど、ちょっとしたスペースを使ってインフォーマルなパーティを開く場合も多い。食事を持ち寄る形式にするのか、簡単にピザを注文する程度のパーティにするのかをお知らせに入れておくことも必要だろう。

POINT 2 プライバシーを守るためにBccを使おう
Use Bcc: to keep privacy

お互いに知らない者同士を誘うときは、プライバシーを配慮してメールを送信したい。Chapter Iのp.23であげた注意点を思い出してほしい。つまり宛先をBccにすることである。こうすれば一度に多くの人に招待状を送っても、受け取った人同士がお互いのメールアドレスを知ることはできない。

USEFUL EXPRESSIONS

❶ パーティの目的を伝える

Keiko and I have moved, and we are hosting a party at our new condominium in Minato-ku on Saturday, 15 September starting at 6 p.m.

慶子と私は引っ越しました。そして、9月15日土曜日の午後6時から港区の新しいマンションでパーティを開きます。

❷ 主催者側の準備を伝える

I'll be in charge of the barbecue and Keiko has promised to make some temaki-zushi, which is a special rolled sushi.

私はバーベキュー担当です。慶子は、手巻き寿司（特別な巻き寿司）を作ると約束しました。

I'll be preparing a spinach salad.
私はほうれん草サラダを作ります。

It's going to be a potluck party. Just so that everyone doesn't bring the same thing, can you give us your name and an idea of what kind of food you are going to bring?

ポットラックパーティになります。同じものを持ってくる人がいないように名前とどのようなものを持ってくるかを教えてくれますか。

2 招待・・・**PERSONAL**

❸ どのような食べ物を持っていくかを伝える

I will bring fried chicken and some carrot cakes.
フライドチキンとキャロットケーキを持っていきます。

I'll be bringing a bottle of wine.
ワインを持っていくつもりです。

❹ 返事を要求する

RSVP by 8 September so we can make preparations.
お返事は9月8日までにいただければ準備に間に合います。

Please reply.
どうかお返事ください。

Regrets only.
出席できない場合のみご連絡ください。

2 趣味の集まりへ招待する
Invitation to visit club

　さまざまな人たちとプライベートでネットワークを広げる1つの方法は、趣味の集まりに誘うことである。次のEメールは、英会話学校の先生を剣道の道場に誘うEメールである。先生ばかりではなく、留学生の知り合いや、海外から派遣された人を誘って、友人付き合いを始める良いきっかけになるはずだ。

Subject: Would you like to visit my kendo gym?

Hi, John.

This is Kenji Suzuki from your English class on Monday nights.
月曜日の夜の英語クラスにいる鈴木憲次です。

I heard from Mr. Yamamoto that you have an interest in kendo. If you're interested, I would be happy to take you to my dojo (kendo gym) one Saturday. I practice two or three times a month, though I haven't made much progress lately.
山本さんから聞いたのですが、あなたは剣道に興味があるそうですね。もし

も関心があれば、土曜日ならば、私の道場(剣道のジム)に喜んでご案内しますよ。1カ月に2回か3回は稽古に行きます。最近はあまり上達していませんけど。

My dojo is in Naka-ku, not far from the station. Several members from other countries usually take the Saturday lessons, so I am sure that you will feel comfortable.

道場は中区にあります。駅からはあまり遠くありません。他の国から来たメンバーも数人、たいてい土曜日の稽古を受けているので、あなたも気楽だと思いますよ。

Please let me know if you are interested.

関心があればお知らせください。

Kind Regards,
Kenji Suzuki
(03)1234-5678

POINT 1 自分が誰かを最初に明示すること
Identify yourself first

プライベートのメールでも、それほど親密ではない相手に初めて送信する場合は、最初に自分が誰であるかを明確に示すことが重要である。簡潔に自分の名前と受信者との関係、必要であればなぜメールアドレスを知ったかを書いておきたい。

POINT 2 押し付けがましくない誘い方をしよう
Don't be pushy

相手を誘うときは、相手が気が乗らなければ断ることもできるような誘い方がいいだろう。

USEFUL EXPRESSIONS

❶ 自分が誰かを示す

This is Kenji Suzuki from your English class on Monday nights.
月曜日の夜の英語クラスにいる鈴木憲次です。

My name is Keiko Kato. I met you at George's birthday party last week.
私の名前は加藤恵子です。先週のジョージの誕生パーティでお会いしました。

2 招待 ・・・ GENERAL

This is Kozo Suzuki. You may or may not remember but we were in the same class at ABC University in 1998.

鈴木浩三です。覚えているかどうか分かりませんが、1998年にABC大学で同じクラスでした。

❷ 軽い誘い

If you're interested, I would be happy to take you to my dojo (kendo gym) one Saturday.

もしも関心があれば、土曜日ならば、私の道場（剣道のジム）に喜んでご案内しますよ。

You might want to come and join us.
よろしかったら参加されませんか。

GENERAL

1 招待を受ける
Accepting an invitation

招待に対する返事は、ビジネスでもプライベートでも大きな違いはない。招待を受ける場合は、相手の文章を引用しながら返事を書くと、相手もお互いのコミュニケーションの流れに沿って理解できる。

ここではジャネットが同僚から招待を受けた際のインフォーマルな返事の例を見てみよう。

Hi.

> We are going out for drinks tonight after work. If you'd
> like to come, please let me know.

> 今夜仕事のあとで飲みに行きます。もし来る場合は教えてください。

Yes, I'd love to come. See you after work.
ええ、ぜひ行きたいです。では終業後に。

Janet

Chapter II Eメール実践編

POINT 1 招待に対する返事は簡潔に
Make it simple

招待を受ければ当然あとで会えるわけだから、必要以上に長く書くことはない。

POINT 2 なるべく早い返事を
Quick response

なるべく返事が遅れないようにすることが重要である。何らかの事情で意思決定が遅れる場合も、遅れるという返事をできるだけ早く送ること。

USEFUL EXPRESSIONS

❶ 招待を受ける

I'd love to come to your barbecue party. I look forward to tasting your special barbecue chicken.

あなたのバーベキューパーティにぜひ行きたいです。あなたのスペシャルバーベキューチキンを味わうのを楽しみにしています。

Thank you for the invitation to your office party. Mr. Kato and I will attend.

事務所のパーティへのご招待をありがとうございます。加藤さんと私が行きます。

It would be an honor to attend your art exhibit. My husband and I look forward to seeing your new work.

あなたの展覧会に行かせていただきます。夫とともにあなたの新しい作品を見るのを楽しみにしています。

I accept with pleasure your invitation to visit your new factory next week. I can't wait to see your innovative manufacturing techniques.

来週の新工場へのご招待を喜んでお受けします。御社の革新的な生産技術を見るのが待ち遠しく感じられます。

❷ 招待を断る
Rejecting an invitation

せっかく招待を受けても、断らなくてはならない場合がある。
次の例は、コールさんの会社の新製品のデモンストレーションへの誘いを受けた小荷田さんが、その招待を断るときのもの。

2 招待 • • • GENERAL

Dear Mr. Cole,

> I would like to invite you to our new product
> demonstration at 3 p.m. on Friday next week in our
> Nihombashi showroom.

> 来週金曜日午後3時に弊社の日本橋ショウルームで行われます、新製品の
> デモンストレーションにご招待いたします。

Thank you for the invitation. Unfortunately, I will not be able to attend because I will be in Osaka on a business trip. Please send me a product brochure, and if I have questions I'll give you a call.

ご招待ありがとうございます。残念ながら、出張で大阪に行っておりますので、出席することはできません。製品のパンフレットをお送りください。分からないことがあれば電話でお問い合わせいたします。

Regards,
Junichi Onita

POINT 1 招待を断る理由を説明すること
Give a reason

日本社会では、言い訳はあまり歓迎されない。招待を断る場合も具体的な理由を言わずに、「先約があって」「よんどころのない事情があって」とあいまいな理由しか付け加えない場合がある。しかし、Eメールをはじめとする英語のコミュニケーションにおいては、しっかりした理由を付け加えるのが常識である。

USEFUL EXPRESSIONS

❶ 理由を伝えて断る

Unfortunately, I will not be able to attend because I will be out of town.
残念ながら、外出しており出席できません。

I'd like to come, but much to my sorrow I have a previous engagement on that day.
ぜひお伺いしたいのですが、残念なことに、その日は以前から約束が入っております。

Chapter II Eメール実践編

Thank you for your invitation. We would like to come, but we are obliged to take the kids camping next weekend. Please extend my regards to your wife.

ご招待ありがとうございます。ぜひお伺いしたいのですが、私たちは次の週末、子供たちをキャンプに連れていかなくてはなりません。どうか奥様によろしくお伝えください。

3 招待をキャンセルする
Canceling an invitation

　何らかの都合で招待をキャンセルしなければならない場合もある。招待を断るときと同様に、やはり理由をはっきり説明することが重要なマナーである。

Subject: Cancelation of Sato's BBQ party

Dear Ms. Reeves,

Due to a sudden illness in our family, we are canceling our barbecue party for this weekend. Our son, Jun, fell off his bicycle yesterday and will be in the hospital for a few days with a broken arm. He'll be OK, but we'll need to focus our energies on him this weekend.

家族の急病で、今週末のバーベキューパーティをキャンセルすることになりました。昨日、息子の純が自転車で転び、腕を折ったために2～3日入院することになったのです。退院はしてきますが、私たちは今週末、彼の看護に専念することにします。

We hope to reschedule the party for sometime next month.

来月、再度パーティを計画することを希望しています。

Regards,
Keiichi Sato
k.sato@happynet.co.jp

2 招待・・・GENERAL

POINT 1 何らかの説明をすること
Provide a brief reason for canceling

英語社会の常識として、やはりキャンセルの理由も簡単に説明する必要がある。くどくどと説明する必要はないが、相手が納得できる理由を書こう。

POINT 2 急用の場合は電話かファックスで
Use telephone or facsimile in case of emergency

Eメールを毎日チェックしない人もいるので、急用の際は電話またはファックスを使ったほうがいい場合もある。

USEFUL EXPRESSIONS

❶ ビジネス上のキャンセル

Due to company downsizing (/a staff shortage/our current financial situation), we are canceling our product demonstration at Expo 2001.

弊社のダウンサイジング(/人手不足/財務状況)により、エキスポ2001の製品デモンストレーションをキャンセルします。

An unexpected change in our travel plans will put us in NY on 23 December, and not 22 December as we had originally planned, so we will have to cancel our tour plans for 23 December.

予想外の旅行計画の変更に伴い、当初予定していた12月22日ではなく、23日にニューヨークにとどまることになりました。そこで、私たちの23日の見学ツアーのプランはキャンセルしなくてはなりません。

Due to a sudden change in our financial situation, we are canceling all overseas trips in March. We are therefore unable to visit your head office until further notice.

財務状況の急激な変化により、3月の海外出張をすべてキャンセルすることになりました。次にお知らせをするまで御社の本部オフィスにお伺いできません。

❷ プライベートなキャンセル

Unfortunately, my husband has come down with a bad cold, so we have to cancel our dinner party tomorrow night.

残念ながら、夫が風邪をひいたために明日夜のディナーパーティをキャンセルしなければなりません。

3 問題解決 — Dealing with Problems

BUSINESS

1 問題を説明しサービスについて問い合わせる
Describing a problem and asking about a service

　英語でのビジネスは、事前の紹介などもなく、相手に直接Eメールで問い合わせることから始めることも少なくない。多くの場合はスムーズにビジネスが始まるが、無視されてなかなか返事が来ないこともある。Eメールの問い合わせ内容が相手によく理解されなかったり、どういう答えを期待しているのかが伝わらない場合に返事が来ないケースが多い。確実に返事をもらうためには、相手が答えやすい質問のスタイルで問い合わせのEメールを書く必要がある。どのようなEメールが相手にとって返信しやすいかを、考えてみよう。

　次のEメールは、日本の出版社が、海外のウエブサイトのデザインを扱うコンサルタントに、Eコマースのノウハウ提供と研修ができるかどうかを問い合わせるものである。Eコマースとは、インターネット上の自社のホームページを使って商品を販売する方法である。この方法で販売できれば、店舗や販売員の経費が軽減されるために、高い利益率が期待できる。しかし、英語のサイトを作るにはそれなりのスキルや知識が必要となるため、コンサルタントに協力を要請しているわけだ。まず自社の問題点を説明し、相手が答えやすいように質問を書いていることに注目して見てみよう。

Subject: Do you provide English e-commerce business software consulting services?

I'm Teruko Kato, president of i-dekiru.com. I am writing about the possibility of Results Now providing us know-how and staff training for setting up an e-commerce site in English.

私はi-dekiru.com社の社長の加藤照子です。リザルト・ナウ社が弊社に、Eコマースのサイトを立ち上げるためのノウハウとスタッフ研修を提供してくださる可能性について書いています。

i-dekiru.com is a leading publisher of martial arts training materials in Japan. We sell self-study material in the form of books and videos, and we have recently translated many of our titles into English.

i-dekiru.com社は、日本において、武道の訓練教材の業界をリードする出版社です。自習用の教材を書籍やビデオで販売しております。そして最近多くの商品を英語に翻訳しました。

Currently, about 30% of our sales originate from our Japanese web site. We are now looking to set up an English e-commerce site, but find ourselves lacking in basic know-how.

現在、販売の約30%が、日本語のウエブサイトからのものです。弊社は現在、英語のEコマースサイトの立ち上げを考えておりますが、基本的な知識の不足を痛感しています。

Do you provide e-commerce training? If so, could you briefly describe the services you have available? If not, could you recommend someone who does?

御社は、Eコマースの研修を提供していますか。もし提供しておられるということでしたら、どのようなサービスが可能かを簡単に教えていただけますか。もし提供されていないということでしたら、そういったサービスを提供しているところをご推薦いただけますか。

Thank you very much in advance.

あらかじめお礼を申し上げます。

Regards,
Teruko Kato
President, i-dekiru.com
t.kato@i-dekiru.com

POINT 1 なるべく簡潔に
Keep your e-mail short and to the point

まずEメールの目的、さらに尋ねたい内容などをなるべく簡潔に書こう。続いて自社の紹介や、業務も簡単に説明する必要があるが、これもなるべく1パラグラフで終えるようにしたい。受信者がさらに詳しく聞きたいときは返信ができるということも忘れずに書き加えよう。

POINT 2 明確な疑問文を使う
Use questions to make it clear what you want

たとえば、"I'm wondering about your services"「御社のサービスについて疑問がある」という表現は、間接的に疑問を表しているために、何を知りたいかを明確に伝えることができない。"What services do you provide?"「どのようなサービスを提供するのですか」という疑問文でも、まだ答えにくい。相手が多様なサービスを提供している企業であれば、すべてをリストアップすることはしたくないはずである。

> We provide a variety of services according to clients' needs. Could you specify what kind of service you want?
>
> 弊社はお客様のご要望に合わせ多様なサービスを提供しています。どのようなサービスをご希望されているのか特定していただけますか。

上記のような返事が返ってくるだけで、進展しない。また、次のような疑問文も明確には伝わりにくい。

> I am looking for an overseas distributor. Would you be interested in becoming an overseas distributor for us?
>
> 海外の販売を担当してくれるところを探しています。海外の販売担当になることに関心はありませんか。

なるべく明確な質問にするためには次のように書くべきだろう。

> Do you provide e-commerce training?
> Eコマースの研修をしていますか。

POINT 3 さまざまなケースを想定しよう
Provide many ways for the reader to help you

質問に対する答えがYesであった場合、Noであった場合など、さまざまなケースを想定して問い合わせをすると、相手は返事をしやすい。そうすれば、どちらの場合でも、相手はどのような返事を書けば良いかがはっきりしているので、問い合わせに対する返事も得やすい。

3 問題解決 ・・・ **BUSINESS**

USEFUL EXPRESSIONS

❶ 目的を明示する

I am writing about the possibility of your providing us with…
御社に…をご提供いただく可能性に関して書いています。

I am writing to inquire about your services.
御社のサービスについて問い合わせるために書いています。

❷ 自社の紹介

i-dekiru.com is a leading publisher (/content provider/ technology services company/manufacturer).

i-dekiru.com社は、業界をリードする出版社(/コンテンツのプロバイダー/技術サービスの会社/メーカー)です。

❸ 問い合わせのための質問

Are you able to design English web sites?
英語のウエブサイトのデザインは可能ですか。

Does your company sell products to customers overseas?
御社は海外の顧客に製品を販売していますか。

If so, could you send us your latest catalog?
もしそうでしたら、最新のカタログを送っていただけますか。

If not, could you recommend someone who does?
そうでないとしたら、そういったことをされている方をご推薦いただけますか。

2 不良品に関する苦情と交換の要求
Complaint and asking for replacement

　納品された製品の中に不良品があった場合、苦情を伝えて、それからこちらの要求する対処法を伝えるのが普通である。対処法としては一般的には製品の交換ということが考えられる。Eメールでカスタマーサービス専門のアドレスを持っている企業もかなりあるので、まず製品やパンフレットに書かれているアドレスを調べてEメールを書いてみよう。

　気を付けなければならない点は、カスタマーサービスに謝罪を期待しないことである。製品が不良であったとしても、それはカスタマーサービスの担当者が悪いわけではない。個人ベー

スで仕事をしている欧米の企業では、カスタマーサービスが必ずしも企業の製造部門を代表して謝罪するとは限らない。

日本のビジネス社会を知っている人間としては「申し訳ございません」「二度とこのようなことが起こらないように、より一層の注意を払うように努力いたします」といった紋切り型の対応を期待してしまう。しかしこういった期待には応えてもらえない可能性があることを心得ておこう。一般的には「不良品が送られたのは不幸なことです。今からできる最善のことをして、お客様を満足させます」という対応が予想される。謝罪がないからと感情的にならずに、自分が損をしない方法を模索することである。

次のEメールはEコマースを使った商品販売をしている企業から購入した、モデルカーの不良品に関する苦情である。

To: service@eplayland.com
From: hayashi.k@asouka.net
Subject: Customer's Order: Defective Go Go Race Car

Dear eplayland.com,

I recently purchased a Go Go Race Car, model 43a from you. My order number is: 399-837 and my name is Kenji Hayashi. The car arrived on 25 March.

最近ゴーゴーレースカーのモデル43aを御社から購入しました。注文番号は399-837です。私の名前は林憲次です。商品は3月25日に受け取りました。

Unfortunately, the front window of the car was broken into two pieces on arrival. I would like a replacement sent immediately, as the car is useless to me without the front window. My address is:
1-2-3 Nakamachi
Higashi-ku, Tokyo 123-0045
Japan

残念ながら、受け取り時にフロントガラスが2つに割れていました。フロントガラスがなくては使えませんので、早急に交換用の部品を送っていただきたいと思います。私の住所は：

3 問題解決 ••• **BUSINESS**

> 郵便番号123-0045
> 東京都東区中町1-2-3
>
> I shall dispose of the broken window, but if you would like me to return it to you at your expense, please advise me of the procedure.
>
> 壊れたフロントガラスは捨てますが、もし御社送料負担での返送を希望される場合は、送付の仕方を教えてください。
>
> Also, if you could kindly confirm receipt of this e-mail, in addition to the shipping date, I'd appreciate it.
>
> また、このEメールの受信と発送日についてお知らせくださると助かります。
>
> Regards,
> Kenji Hayashi
> hayashi.k@asouka.net

POINT 1 宛先は会社名で
Use the company name

担当者の名前が分からないときは、このEメールのようにDear eplayland.comと企業名を宛名に使うことができる。

POINT 2 製品情報を明示する
Give complete information about the product

苦情を伝える場合には、1) 製品名、2) 注文の日付、3) 自分の名前、4) 注文番号、5) 担当者名、6) 製品番号、7)（ソフトウェアの場合は）バージョン番号など、製品注文情報などを追跡するために必要とされるであろう情報を忘れずに含めよう。情報不足のために返事が来ない、返事が遅れる、あるいは不足情報の確認のためにさらに数回のメールのやり取りが必要になるなど、問題が面倒になる要素が増えてくるので注意したい。

POINT 3 不快感を表さないこと
Do not threaten or make demands in your first e-mail

苦情を書くときに、最初のメールでは、怒りや他のネガティブな表現を盛り込まないように注意しよう。日本でよく起こる次のような手順は、英語でのビジネスでは期待できない。
① 顧客「不良品を購入し、不快感を表明する」
② 売り手「謝罪して、今後問題が起こらないような対策を伝える」

③ 顧客「不快感が収まる」
④ 売り手「問題解決に進む」

日本社会では、「謝罪」は相手の不快な気持ちをなだめるという働きがあるが、英語での商取引における謝罪は、自分の非を認め、そのための補償を要求されることを覚悟していることを表す。したがって、欧米の企業担当者は謝罪抜きで次のような手順で対応してくるはずである。

① 顧客「不良品を購入し、不快感を表明する」
② 売り手「問題解決に進む」

このような対応をされると、日本的な手順を無視されたような気持ちから怒りが生まれることがあるが、欧米ではこれが一般的なトラブル対処の方法である。したがって最初のメールから不快感を表明するのは避けたほうがいいだろう。多くの企業は顧客満足に対してはかなり真剣な対応をしている。苦情はむしろ次のような手順で書くほうが問題発生が少ない。

① 顧客「不良品の購入、問題の明示（どこが不良か）、製品情報の明示（製品番号など）」
② 売り手「問題解決方法の提示」

USEFUL EXPRESSIONS

❶ 苦情に関する必要な情報を伝える

I recently purchased a Go Go Race Car from you.
最近ゴーゴーレースカーを御社から購入しました。

It is model (/version) number 43a.
モデル（／バージョン）43aです。

My order number is 123-4567.
私の注文番号は123-4567です。

The window was broken on arrival.
受け取り時にフロントガラスが割れていました。

The product did not work from the first day.
製品は最初から使えませんでした。

I was unable to install the program in my Windows 2000 computer.
そのプログラムをウィンドウズ2000のコンピュータにインストールできませんでした。

3 問題解決 • • • **BUSINESS**

2 要望を伝える

I would like a replacement sent immediately.
すぐに代替品を送っていただきたい。

I want my money refunded immediately.
すぐに返金をしていただきたい。

If you could kindly confirm receipt of this e-mail, in addition to the shipping date, I'd appreciate it.
このEメールの受信と発送日についてお知らせくださると助かります。

Please let me know ASAP what you will do.
あなたの行うことについてなるべく早くお知らせください。

3 苦情に対する返事の催促
Asking for a reply to complaint

冷静な苦情を送っても、返事がなかったり、妥当な返事が来ない場合がある。その時には、より強い言葉を使う必要がある。
次のEメールを見てみよう。

To: service@eplayland.com
From: hayashi.k@asouka.net
Subject: SECOND E-MAIL: Customer's Order: Defective Go Go Race Car

---

Dear eplayland.com,

This is my second e-mail concerning the same problem. I sent the message below one week ago, and I have not had a response from you.
これは同じ問題に関しての2度目のEメールです。下のメッセージを1週間前に送りましたが、まだ返事をいただいておりません。

My next step, if I do not hear from you within the next three business days, will be to contact my credit card company and file a complaint with them. In addition, I will consider contacting your management staff directly by surface mail, if you fail to resolve the issue immediately.

Chapter II Eメール実践編

> もしも3営業日以内に返事をいただけない場合は、クレジットカード会社に連絡をして苦情を伝えます。さらにこの問題を早急に解決できない場合は、郵便で御社の管理者に直接連絡をとることを考えます。
>
> Dear eplayland.com,
>
> I recently purchased a Go Go Race Car, model 43a from you. My order number is: 399-837 and my name is Kenji Hayashi. The car arrived on 25 March.

POINT 1 実際にできる行動を予告すること
Make sure that you are willing and able to follow up

Customer Service Managerなど、上位管理者宛てに直接手紙を書くことは、消費者としてとれる強い行動である。しかし、法的なトラブルに巻き込まれたりする可能性のあることを書くのは避けたい。たとえば不買運動をするといったことは、問題を大きくする可能性がある。

USEFUL EXPRESSIONS

❶ 過去の経緯を伝える

This is my second e-mail concerning the same problem.
これは同じ問題に関しての2度目のEメールです。

This is the third time I have written you about this problem.
この問題に関しての3度目のメールです。

I sent the message below one week ago, and I have not had a response from you.
下のメッセージを1週間前に送りましたが、まだ返事をいただいておりません。

❷ 自分の対応をやや強い表現で伝える

My next step, if I do not hear from you within the next three business days, will be to contact my credit card company and file a complaint with them.
もしも3営業日以内に返事をいただけない場合は、クレジットカード会社に連絡をして苦情を伝えます。

3 問題解決 • • • **PERSONAL**

I will consider contacting your management staff directly by surface mail.
郵便で御社の管理者に直接連絡をとることを考えます。

Our next step will be to seek a legal remedy.
次は法的な解決方法を追求します。

We will pursue resolution of this issue with the police if necessary.
この問題に関する解決については、必要であれば警察の協力を求めます。

PERSONAL

1 問題を説明してオンラインで解決を求める
Describing a problem and asking for a solution online

　オンラインでの商品購入に不安があるとすれば、店員と対面して買えないため、商品の使い方など、購入後に問い合わせがしにくいと感じる点だろう。しかし、こういった販売方法をとっている企業は、Eメールによる問い合わせ窓口を用意してある場合が多い。

　海外の企業であっても、Eメールをうまく使えば、問題解決ができるはずである。まず問い合わせのメールはどのように書くか、また返信としてどのような文面が届くかを知っておくと自信を持ってEメールでのやり取りができるはずだ。

　次のEメールは、オンラインで購入した英語ソフトの使い方に関する問い合わせと、それに対する企業からの返信の例である。

To:　　　support@wondersoft.com
From:　　mari.k@gonet.co.jp
Subject: QUESTION: How to record voice with Easy Eigo

Dear WonderSoft,

I recently purchased Easy Eigo online from you and I have a question. I remember reading that you can record your voice using Easy Eigo, but I have not been able to find any record function. I've looked in the User's Manual, but I have not been able to find an answer.

最近イージー英語をオンラインで御社から購入しました。そして質問が1つあります。イージー英語を使って声を録音することができるということを読んだ記憶があるのですが、録音機能を見つけることができません。ユーザーマニュアルを見てみましたが、答えを見つけることができません。

Have I missed something? Can you let me know what I'm doing wrong?

何か見落としているでしょうか。どこが間違えているか教えてもらえますか。

Regards,
Mari Kobayashi

To: mari.k@gonet.co.jp
From: support@wondersoft.com
Subject: Re: QUESTION: How to record voice with Easy Eigo

Dear Mari,

Thank you for your question about Easy Eigo.

イージー英語に関するお問い合わせをいただき、ありがとうございます。

> I remember reading that you can record your voice
> using Easy Eigo, but I have not been able to find any
> record function.
> イージー英語を使って声を録音することができるということを読んだ記憶
> があるのですが、録音機能を見つけることができません。

To record your voice using Easy Eigo, you need to enable the record function. It's under the >File>Preference menu.

3 問題解決 ••• **PERSONAL**

There you will find a tab which says "Recording." From there you need to check the box, "Enable Recording." This will place a red "Record" button on the main screen when you launch Easy Eigo. Then all you need to do is to hook up a microphone to your computer and you will be able to record and play back your voice.

イージー英語を使ってあなたの声を録音するためには、録音機能を使えるようにしなくてはなりません。ファイルメニューからプレフェレンスのメニューを開きます。そこに「録音」と書いてあるタブがあります。そこの「録音可能」というボックスをチェックします。こうすることで、イージー英語を立ち上げたときに、メイン画面に赤い「録音」というボタンが現れるようになります。その後は、マイクをコンピュータに接続すれば、録音も声を再生することもできます。

Thanks for choosing WonderSoft's Easy Eigo.
ワンダーソフトのイージー英語をお選びいただきありがとうございます。

Regards,
Lucy Hassad
Customer Service, WonderSoft

POINT 1 焦点を絞った内容
Keep your message focused

カスタマーサービスの担当者は、1日に何百通ものメールを受け取ることが普通である。不必要な情報はなるべく含めずに、必要な情報だけを選んで送ること。必要な情報とは、この場合は次のようなものだ。

- ■製品は何か
- ■質問は何か
- ■どのような方法をすでに試したか

POINT 2 返信では書き出しと締めくくりでお礼を
Thank the customer in the beginning and at the end of your e-mail

自社の製品に関する問い合わせを受けた担当者は、メールの前後に製品を購入してくれたお礼を書いておくことが礼儀である。

POINT 3 質問にはステップを踏んだ指示を
Give step-by-step instructions

ソフトウエアの場合だけでなく、機械類などの製品に関する問い合わせには、こまかにステップを踏んで指示を出そう。ソフ

Chapter II Eメール実践編

トウエア関係の質問には、「ファイルを開く」、「メニューから選ぶ」など、USEFUL EXPRESSIONSにある用語をうまく使いこなして対応しよう。

USEFUL EXPRESSIONS

❶ 質問を伝える

I have not been able to find the record function (/install the software/use the multiplayer function).
録音機能の発見（／ソフトウエアのインストール／マルチプレイヤーの利用）ができないのです。

I've looked in the User's Manual, but I have not been able to find an answer.
ユーザーマニュアルを見てみましたが、答えを見つけることができません。

Have I missed something?
何か見逃しているのでしょうか。

Can you let me know what I'm doing wrong?
どこが間違えているか教えてもらえますか。

❷ 問い合わせに対するお礼

Thank you for your question about Easy Eigo.
イージー英語に関するお問い合わせをいただき、ありがとうございます。

❸ 問い合わせに対する指示

You need to enable the record function.
録音機能を使えるようにしなくてはなりません。

It's under the >File>Preference menu.
ファイルメニューからプレフェレンスのメニューを開きます。

You need to go to the File menu and choose "Save As" to change the file format.
ファイルのフォーマットを変えるためには、ファイルメニューから「名前を付けて保存」を選びます。

❹ 締めくくりのお礼

Thanks for choosing WonderSoft's Easy Eigo.
ワンダーソフトのイージー英語をお選びいただきありがとうございます。

3 問題解決 ••• **PERSONAL**

②ホームページについて問い合わせる
Asking about a home page

　ネットサーフィンをしていると、興味をひく話題にぶつかることがある。基本的に、ホームページを公開している人は問い合わせのEメールを歓迎するはずなので、関心がある情報については、Eメールで問い合わせをすると、より一層世界が広がっていくだろう。また、すでに自分のホームページを公開している人は、英語の問い合わせに答えることにより、ネットワークが世界に広がっていく実感を持つことができるだろう。

　次のEメールは、ホームページ上のケーキのレシピについての問い合わせと、それに対する答えである。Eメールで世界の人たちとコミュニケーションをとる方法の一例として見てみよう。

To:　　 mary@loa.com
From:　 "Kumiko Suzuki" <k.suzuki@loa.com>
Subject: Love your site/Double Choc. Cake Recipe unavailable

Dear Mary,

I was surfing the Net yesterday and I came across your Cooking With Chocolate site, which I like very much. The design is great. I also love cooking with chocolate.

昨日ネットサーフィンをしていて、あなたの「チョコレートで料理する」というサイトを見つけ、とても気に入りました。デザインがすごく良かったですし、チョコレートで何か作るのも大好きです。

In the Valentine's Day treats section, you have a link for a recipe for Double Chocolate Cake. The link, however, seems to be broken. I was unable to find your recipe.

バレンタインデーを扱っているところに、ダブルチョコレートケーキのリンクがありますが、壊れているようです。レシピを見つけることができませんでした。

Could you send me the recipe by e-mail or give me the URL of the recipe?

Eメールでレシピを送っていただくか、レシピのURLを教えてもらえますか。

Chapter II Eメール実践編

Thank you in advance. The picture looks so good that I can't wait to make it.

あらかじめお礼を申し上げます。写真がとても良かったので、早く作ってみたくて待ち切れません。

Regards,
Kumiko Suzuki

To: "Kumiko Suzuki" <k.suzuki@loa.com>
From: mary@loa.com
Subject: Re: Love your site/Double Choc. Cake Recipe unavailable

Hi, Kumiko.

Thanks for telling me about the bad link. I redesigned my site last week and I must have missed that one.

リンクが壊れているのを教えてくれて、どうもありがとう。先週、サイトを修正したのですが、きっと、それを見落としてしまったんだと思います。

> Could you send me the recipe by e-mail or give me the
> URL of the recipe?

> Eメールでレシピを送っていただくか、レシピのURLを教えてもらえますか。

The URL is www.loa.com/mary/valentine/double_c/recipe.

URLは、www.loa.com/mary/valentine/double_c/recipeです。

Happy cooking!

楽しいお料理を！

Mary

POINT 1 ファーストネームのみが安全
Contact using your first name

アメリカでは、路上で知らない人に名前を伝えなくてはならないときには、ファーストネームだけ言う場合が少なくない。フル

ネームだと、相手がその気になればいろいろと悪用できるからである。インターネット上で知り合った人たちも最初はファーストネームだけでコンタクトする場合が多い。フルネームは親しくなってからでいいだろう。

POINT 2 ホームページをほめよう
Start with a compliment

ホームページに掲載されている情報を見て、制作者にメールを書く場合は、自分が気に入ったところについて書いてあげるのがマナーである。たとえば、"I love the design of your site."「あなたのサイトのデザインが大好きです」や"You have a very innovative site."「革新的なサイトですね」などである。

POINT 3 あらかじめお礼を述べよう
Use "Thank you in advance"

例文のように何かを頼んで返事をもらったときは、Thank you e-mailを書くのがマナーである。しかし、このフレーズを書いておけば、それを省略できる。

USEFUL EXPRESSIONS

❶ ホームページに出会ったいきさつを書く

I was surfing the Net and I came across your site.
ネットサーフィンをしていて、あなたのサイトを見つけました。

A friend of mine recommended your site.
私の友人があなたのサイトを推薦してくれました。

I found your site through Yahoo!
ヤフー！であなたのサイトを見つけました。

❷ サイトをほめる

The design is great.
良いデザインですね。

I really like your site.
あなたのサイトがとても気に入りました。

❸ リンクが壊れていることを教える

The link is broken.
リンクが壊れていました。

Chapter II Eメール実践編

The link does not work.
リンクがうまくつながりません。

❹依頼をする

Could you send me the recipe by e-mail or give me the URL of the recipe?
Eメールでレシピを送っていただくか、レシピのURLを教えてもらえますか。

3 ホームステイ中の子供に関する問題を知らせる
Describing a problem with a home stay child

　両親がホームステイ先の子供と連絡する手段として、最近Eメールが頻繁に使われている。日本語の読めるコンピュータさえあれば、子供と日本語で通信ができる。国際郵便やファックスに比べると、通信料金もかなり安い。英語でのEメールができると、子供がホームステイしているホストファミリーとの密接な連絡も可能になる。逆に、日本の自分の家庭に外国人の子供を滞在させることも最近は珍しくない。そういった場合も本国の家族とのEメールによる連絡は便利である。

　次のEメールは、ホームステイ中の子供の問題を、アメリカのホストファミリーが日本の両親に伝えたものである。両親からの返事のサンプルも続いているので、往復のEメールを読んで、問題のやり取りについて見てみよう。

```
To:      e-sato@kasakasa.ne.jp
From:    wjackson@loa.com
Subject: Hiroaki's problem
```

3 問題解決 • • • PERSONAL

Dear Mr. and Mrs. Sato,

I am writing to you about your son, Hiroaki. He seems to be having some problems adjusting to his time in America. You asked me to let you know right away if there is a problem, and I think we have the beginning of what could be a big problem.

あなた方のご子息ヒロアキについて書いております。アメリカでの生活に適応する上での問題があるようです。問題があればすぐに教えてほしいとご依頼がありましたが、私はこのことが大きな問題になり始める可能性があると考えています。

Hiroaki was doing fine the first few days. He went to all of his English classes, and the Head Teacher says that he was doing well.

ヒロアキは最初の数日はうまく過ごしていました。英語クラスもすべて出席し、教頭先生もよくやっていると言っていました。

Hiroaki also seemed to be adjusting to life with our family well. His chores -- setting the table and taking the dog for a walk -- were done every day.

ヒロアキはまた私たちの家族にもうまく適応しているようでした。毎日家事（テーブルのセットや犬の散歩）をやってくれていました。

Recently, however, Hiroaki has been having problems. He came home after his curfew (10 p.m.) two nights in a row, and today he stayed home from school saying he was sick. He refused to say what was wrong, and he would not let us take him to a doctor for a check-up.

しかし、最近ヒロアキには問題があるようです。2日続けて門限（午後10時）を過ぎて帰宅し、そして今日は具合が悪いと言って学校を休んで家にいました。どこが悪いかも言おうとせず、診察のため医者に連れていくこともさせてくれません。

This would not usually worry me, as we have had many exchange students stay in our home over the years, and almost all of them suffer from some kind of homesickness, but tonight I received a call from another home stay parent. She told me that she saw Hiroaki drinking beer in a park last night with some other boys.

ここまででしたら、今まで多くの交換留学生を何年も家庭に預かっていたので、普通はあまり心配をしません。みな、ある種のホームシックになるものでしす。しかし、今夜、他のホストファミリーから電話がありました。ヒロアキが昨夜、何人かの少年たちと公園でビールを飲んでいたのを見たというのです。

As you may know, the drinking age in America is 21, so Hiroaki is breaking the law, and the rules of the home stay program.

ご存知のようにアメリカの飲酒年齢は21歳です。ですからヒロアキは法律とホームステイプログラムの決まりを破っているのです。

When I speak to Hiroaki tomorrow morning I will, of course, tell him that drinking alcohol is completely unacceptable. I am also going to tell him that if he is caught drinking again, we will terminate his sponsorship, and he will be sent back to Japan.

ヒロアキと明日の朝話すときに、もちろん、私が飲酒はだめであると伝えるつもりです。また、再度飲酒している現場を見つけたら、私たちは保護者をやめるので、彼は日本に送り帰されると伝えます。

I know Hiroaki is a good boy, and the last thing I want to do is send him home early. If you would like me to have him call you after I speak with him, please let me know.

ヒロアキは良い子だということは知っています。日本に帰すことは本意ではありません。もし私が彼と話をしたあとに、あなた方が電話で話したいのであれば教えてください。

Regards,
William Jackson

To: wjackson@loa.com
From: e-sato@kasakasa.ne.jp
Subject: Re: Hiroaki's problem

Dear Mr. Jackson,

3 問題解決 ・・・ PERSONAL

Thank you for letting us know about your problem with our son. We appreciate your concern.

息子の問題に関して教えていただきありがとうございます。ご心配いただき感謝しております。

We apologize for his behavior. He knew about the drinking rule before he left, and we are very disappointed that he chose not to follow it.

彼の行動を申し訳なく感じております。彼は日本を出る前に飲酒のルールは知っていました。それを守ろうとしないので失望しています。

> If you would like me to have him call you after I speak
> with him, please let me know.

> もし私が彼と話をしたあとに、あなた方が電話で話したいのであれば教え
> てください。

Yes, please have him call us using his prepaid card. We will warn Hiroaki that if he drinks again, he will be sent back to Japan.

ぜひお願いします。彼のプリペイドカードで電話をさせてください。ヒロアキには、今後飲酒をしたら日本に帰されることを警告します。

We fully support you. If he cannot follow the rules, certainly he should not have the privilege of staying with you in America.

私たちはあなた方を全面的に支援します。もし彼が決まりに従えないようでしたら、当然のことながらあなた方とアメリカにいる権利はないと考えています。

Please let us know if he causes any more problems.

さらに問題があるようでしたらお知らせください。

Regards,
Ichiro and Emiko Sato
e-sato@kasakasa.ne.jp

POINT 1 問題の状況を伝える
Give a context to the problem

ホストファミリーとしては、問題が発生したことを伝える場合でも、定期連絡であっても、子供の状態について詳しく伝えて

あげたい。学校や家庭での生活にうまく順応しているかどうかなど、先生や家族のコメントも加えて書いてあげるのが効果的である。

POINT 2 問題を明確に伝える
Describe the problem clearly

何が悪いのか、どんな問題があるのかを、相手に分かるように伝えたい。たとえば、アメリカからのEメールでは飲酒年齢について触れている。この情報がない限り、より飲酒年齢が低い国のホストファミリーには、何が問題なのかが伝わらないはずである。

POINT 3 問題の背景事情を伝える
Describe the consequences

ホストファミリーとしては、問題が続いた場合にどのような結果になるかを伝えることも重要である。アメリカの飲酒年齢に関しては、日本よりもずっと厳しく守られている。酒を買うときは身分証明書を見せなければならないし、破った場合の罰則もそれなりに大きなものである。こういった問題の結果は、日本のように飲酒年齢が比較的寛容に扱われている国の両親には伝わりにくいはずである。

POINT 4 どのような対策を講じたかを説明する
Describe what action you have taken

すでに本人に話をしたのか、今後どうするつもりなのかをはっきり伝えることも重要である。

POINT 5 知らせてくれた相手にお礼を述べる
Thank the writer for letting you know about the situation

ホストファミリーが問題を報告してくれた場合には、親としてお礼の言葉を2種類くらい組み込みたい。そのためにThank you for...だけでなく、I appreciate...を使った表現など、お礼を伝える表現を使いこなそう。

POINT 6 サポートを表明する
Tell that you support the writer

ホストファミリーといえば両親と同じという考えで子供を指導してくれているはずである。両親の側からホストファミリーへのサポートを伝えることも重要である。相手の問題に対する対応方法に納得ができたら、こちらからも相手の対応に賛同し支援したいという気持ちを伝えよう。

3 問題解決 • • • **PERSONAL**

USEFUL EXPRESSIONS

❶ 子供の状況を伝える

Yuji seems to have started enjoying his life here.
ユウジはここでの生活を楽しみ始めたようです。

David's Japanese has improved a lot.
デビッドの日本語はずいぶん上達しました。

❷ 子供の問題を伝える

Kaoru is homesick.
カオルはホームシックになっています。

Kenta visited the doctor this afternoon with an upset stomach (/a bad headache/a sprained ankle/a broken wrist/an ulcer/a minor eye injury).

ケンタは今日の午後胃痛(／頭痛／足首の捻挫／手首の骨折／潰瘍／ちょっとした目の怪我)で医者に行きました。

Recently, Michael has been having problems with his life in Japan.
最近マイケルは日本での生活ぶりに問題があります。

Hiroaki is breaking the law, and the rules of the home stay program.
ヒロアキは法律とホームステイプログラムの決まりを破っています。

Kathy is breaking the rule of our house about smoking inside.
キャシーは家の中では禁煙という決まりを破っています。

❸ 問題の背景となる国内での事情を伝える

The home stay program's rules say that boys should not be in a room with girls with a closed door.

ホームステイのプログラムの決まりでは、男の子はドアを閉めた部屋に女の子と一緒にいてはいけないことになっています。

Smoking is not allowed for minors in Japan. You have to be 20 to smoke here.

喫煙は日本では未成年に許されていません。20歳になるまでタバコを吸うことはできません。

The drinking age in America is 21.
アメリカでの飲酒年齢は21歳です。

> Marijuana is illegal here. It is a very serious offence.
> マリファナはここでは違法です。非常に重い罪です。

❹ 対策について述べる

> If he does this again, we will tell his home stay advisor.
> もう一度したら、ホームステイアドバイザーに伝えるつもりです。

> If this happens again, she will be forced to leave the program.
> 再度これが起こった場合には、プログラムを外れなければなりません。

❺ お礼を述べる

> We appreciate your concern for our son.
> 息子のことをご心配いただきありがとうございます。

> I thank you for your letting us know about his problem.
> 彼の問題を伝えていただきましてありがとうございます。

❻ サポートを伝える

> We fully support you.
> 私たちはあなた方を全面的に支援します。

> I will talk to him on the phone, too.
> 私も彼と電話で話してみます。

> Please let us know if he causes any more problems.
> さらに問題があるようでしたらお知らせください。

お知らせ

BUSINESS

1 新しいメンバーの紹介
Announcing new personnel

買収、提携、合併などの事情により、企業の中に日本語が分からない社員が増えたのをきっかけとして、回覧文書などに英語を使い始めた企業も少なくない。

新しいスタッフが参加した場合の回覧文書の例から見てみよう。多くの場合は、その人の専門性を中心とした紹介を行う。専門性を伝えるには、組織内においてどういった分野での業務が期待されているか、どのような学歴や業務の経験を持っているかといった情報が必要である。

Subject: Please welcome Jennifer Anderson to Marketing

Please join us in welcoming Jennifer Anderson to our Marketing department today. Ms. Anderson joins us from company headquarters in Chicago.

ジェニファー・アンダーソンさんが本日より私たちマーケティング部門に加わりましたので、みなで歓迎しましょう。アンダーソンさんは、シカゴの本社から異動になりました。

Ms. Anderson is a specialist in communications equipment, and she will spend the next year in Tokyo working with the Marketing staff to develop innovative sales promotions for our cellular phones and wireless communications devices.

アンダーソンさんはコミュニケーション設備の専門家で、携帯電話と無線コミュニケーション装置の革新的な販売プロモーションを開発するために、これから1年間、東京でマーケティングスタッフとともに働きます。

Ms. Anderson was selected to join us because of her in-depth knowledge of our products and the Japanese market. She speaks Japanese fluently, and received her MBA (Master of Business Administration) from Stanford.

アンダーソンさんは、わが社の製品と日本市場に関する深い知識を見込まれて選ばれました。彼女は日本語を上手に話し、スタンフォード大ではMBA（経営学修士）を取得しています。

When you have a chance, please stop by her office (Room 777) and say hi. I know she is anxious to start putting some faces with all the names she has heard.

機会があれば、彼女の部屋（777号室）に立ち寄って挨拶してあげてください。すでに聞いたことのある皆さんの名前と顔を結び付けておきたいと考えていることでしょう。

Emiko Ishikawa
Personal

POINT 1 重要な情報が入っているかもう一度確認しよう
Make sure you include basic information

転勤してくる人の正確な名前、着任する日は、必ず入れておくべき情報である。

POINT 2 新任者の信頼性を確立する手助けをする
Help the person establish credibility

新任者が自分で言うのが自慢に聞こえてしまうような情報がある。たとえば、専門を表す技術、学歴である。新任者が期待される役割とともに、簡単な経歴を含めておくといい。

POINT 3 個人的な情報も含める
Include some more personal information

他の社員が気楽に話しかけられるような個人的な情報を入れてみよう。上記のEメールの例では、アンダーソンさんの日本語の能力に関するコメントが添えられているため、日本人スタッフ

が話しかける可能性が高まるはずである。ただし、プライバシーに関わるようなこと、たとえば結婚しているかどうかなどを書くときは本人に確認をとりたい。

USEFUL EXPRESSIONS

❶ 新任者の情報を伝える

Please join us in welcoming Jack Smith to ABC&D, Japan.
ジャック・スミスさんを日本ABC&D社に歓迎しましょう。

Mr. Richardson joins us from headquarters in Chicago (/our affiliate in Singapore).

リチャードソンさんは、シカゴの本部(／シンガポールの支社)から異動してきました。

Ms. Parker is a specialist (/expert) in finance (/personnel/banking/web design/Java programming).

パーカーさんは財務(／人事／銀行業務／ウエブデザイン／ジャバプログラミング)のスペシャリスト(／エキスパート)です。

❷ 話しかけやすい材料を与える

He will spend the next year in Tokyo.
彼は来年東京で働きます。

When you have a chance, please stop by her office and say hi.
機会があれば、彼女の部屋に立ち寄って挨拶してあげてください。

She is anxious to start putting some faces with names.
名前と顔を結び付けたいと考えていることでしょう。

2 新製品の案内
Announcing a new product's availability

新製品などの情報をEメールを使って流すことは、低コストでできるマーケティングの手段である。英語で情報を流すことができれば、市場は一気に数十倍に広がる。普通こういったお知らせEメールには、どのような情報が必要か考えてみよう。

次の2つのEメールは新しい日本の建築に関する出版物の英語版ができたことを知らせるものと、新しい炊飯器が日本以外でも入手できるようになったことを伝えるものである。

Subject: "Encyclopedia of Japanese Architecture" available in English

International Design Associates is proud to announce that our new "Encyclopedia of Japanese Architecture" is now available in English.

インターナショナル・デザイン・アソシエイツは、新しい『日本建築百科』の英語版が、入手可能になったことを誇りを持ってお知らせいたします。

The "Encyclopedia of Japanese Architecture" is the top selling architecture book in Japan. It is a valuable reference for design professionals and anyone interested in Japanese architecture.

『日本建築百科』は、日本の建築関係の書籍ではベストセラーです。デザインの専門家や日本建築に関心のある方には、貴重な資料となるでしょう。

The English-language version of the encyclopedia is available through major bookstores worldwide, or you can place orders online through most major online bookstores.

この百科事典の英語版は世界中の大手書店で手に入るほか、大規模なオンライン書店を通しての注文も可能です。

We have put several of the pages online. They are available at: www.japanesearchitecture.com/english.

何ページかをオンラインでお見せしております。www.japanesearchitecture.com/englishをご覧下さい。

Regards,
Public Relations, International Design Associates
URL: http://www.japanesearchitecture.com

Subject: Japan Export's new line of rice cookers available

It is with great pleasure that Japan Export announces the availability of its new line of rice cookers.

4 お知らせ • • • BUSINESS

とてもうれしいことに、新しい炊飯器のシリーズをお手元に届けられるようになりましたので、日本エクスポート社よりお知らせいたします。

The new line of rice cookers, the Oishii A Series, has until now only been available in Japan. Now, through a special arrangement with the manufacturer, we are able to offer the Oishii A Series on the international market.

新しい炊飯器「おいしいAシリーズ」は、今までは日本でしかお買い求めになれませんでしたが、製造元に特別な手配をして、国際市場でご提供できるようになりました。

The Oishii A Series has a patented new design that cooks rice to perfection every time. Consumer tests in Japan have shown the new models to consistently outperform all other rice cookers on the market.

「おいしいAシリーズ」は特許を取得した新しいデザインで、いつでも完璧にご飯を炊けます。日本での消費者テストで、新しいモデルは他のどの製品をも常にしのいでいます。

Product descriptions are available on our web site at www.jexport.co.jp/oishiia. Distributors should contact our overseas department at overseas@jexport.co.jp for bulk purchases. Individual consumers can make purchases directly from us online through the link above.

製品の説明は弊社のウエブサイトwww.jexport.co.jp/oishiiaで提供しております。流通関係の方が大量の購入をご希望の場合は、弊社海外部門のoverseas@jexport.co.jpにご連絡ください。また個人のお客様には、上記のリンクから直接ご購入いただけます。

We are certain that the Oishii A Series is the best rice cooker available, and that you will be satisfied with both its design and performance.

「おいしいAシリーズ」が、現在入手可能な炊飯器の中で最高の商品であるという確信を持っております。デザイン・機能ともに満足いただけることでしょう。

Regards,
Sales Division
Japan Export
E-mail: sales@jexport.co.jp
URL: http://www.jexport.co.jp/oishiia

Chapter II Eメール実践編

POINT 1 Eメールですべての説明はできないことを覚えておこう
You cannot describe a product fully by e-mail

Eメールで製品のすべてを説明することはできない。写真などを載せた重いDMメールはダウンロードにも時間がかかり、迷惑である。またウィルスを警戒して、添付ファイルの付いたEメールは読まれずに捨てられてしまうこともある。製品案内のメールはシンプルな情報にとどめて、「買いたい」ではなく「もう少し知りたい」という気持ちにさせることを目的にしよう。

POINT 2 自社のホームページへのリンクを付けておくこと
Include links to Internet sites

POINT 1のような理由で、EメールでのDMは簡潔でないとあまり読んでもらえない。詳しい説明や写真などはホームページに載せて、興味がある人がいたら自社のホームページを訪問できるように、リンクを付けておくのを忘れないようにしよう。

POINT 3 宛名はなし
Just start the announcement

不特定多数に宛てた内容に関しては、Dear...,という宛名を無理に付ける必要はない。すぐに文章を書き始めてもいいだろう。

USEFUL EXPRESSIONS

❶ お知らせの冒頭表現

We are proud to announce that "Super Win" is now available in English.

『スーパーウィン』英語版が、入手可能になったことを誇りを持ってお知らせいたします。

It is with great pleasure that we announce the availability of the Oishii A Series.

とてもうれしいことに、「おいしいAシリーズ」がお手元に届けられるようになりましたので、お知らせいたします。

❷ より知りたくなるような情報を伝える

Through a special arrangement with the manufacturer, we are now able to offer the Oishii A Series on the international market.

製造元に特別な手配をして、「おいしいAシリーズ」を国際市場でご提供できるようになりました。

4 お知らせ・・・**BUSINESS**

The Oishii A Series has a patented design.
「おいしいAシリーズ」は、特許を取得したデザインによるものです。

The new models outperform all competitors.
新しいモデルは、他社のどの製品もしのぐ機能を備えています。

❸ 入手の方法を伝える

It is available through major bookstores.
大手書店でご購入いただけます。

You can place orders through most major online bookstores.
大規模なオンライン書店を通しての注文が可能です。

You can order it directly through us.
弊社を通しての直接注文も可能です。

Distributors should contact our overseas department at…
流通関係の方は弊社海外部門の…にご連絡ください。

Individual consumers can make purchases directly from us at…
個人のお客様には、弊社から直接…でご購入いただけます。

❹ ホームページを案内する

We have put a product description online.
製品の説明をオンラインに載せております。

Product descriptions are available on our web site.
製品の説明は弊社のウエブサイトで提供しております。

❸ 新しいサービスを伝える
Announcing a new service

　ネット上でのビジネスは、メーカーばかりではなく、さまざまな業態の企業が取り引きできるようになっている。また、製造物ではなく、新しいサービスの通知にもEメールが活用されている。しかし、写真を見せたりすることができない分だけ、説明が難しくなる。どのような書き方をすると効果的かを考えてみよう。
　次の例はコンサルティング会社の新しいITコンサルティングサービスの情報である。

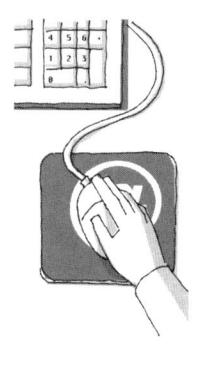

Chapter II Eメール実践編

Subject: Japan Consulting now offers information technology consulting

Japan Consulting is now able to offer information technology consulting services in English and Japanese.

日本コンサルティングは、ITコンサルティングサービスを英語と日本語で提供できるようになりました。

As a preferred client of our finance or international marketing services, you know that Japan Consulting is the premier consulting team for international and Japanese companies in Tokyo. Our 20-year track record of proven results is evidence of our commitment to quality and meeting our clients' needs.

弊社の財務や国際マーケティングサービスのお得意様として、お客様は日本コンサルティングが東京の外資系企業や日本企業にとっての最高のコンサルティングチームだということをご存知かと思います。20年の実績が、弊社の、品質と顧客ニーズへの対応への姿勢を表しております。

Recently, many of our clients have sought to integrate financial and marketing solutions with their information technology systems, so we have spent the last six months putting together a team of talented, bilingual technology consultants.

近年、多くのお客様が財務とマーケティングの問題解決を、ITシステムとの統合に求められています。そこで弊社ではこの6カ月をかけて、才能あるバイリンガルのテクノロジーコンサルタントのチーム作りを行いました。

Leading the team is Masanori Muraoka, a ten-year veteran in Tokyo's information technology industry. His team includes specialists in Internet integration, database administration, telecommunications, and wireless technology.

東京のIT産業で10年の経験を持つベテランの村岡正則がチームリーダーです。彼のチームにはインターネット・インテグレーション、データベース管理、テレコミュニケーション、そして無線テクノロジーの専門家がいます。

Our information technology consulting services division is committed to offering you the highest-quality services available.

弊社のITコンサルティングサービス部は、可能な限り質の高いサービスを提供する所存でございます。

We welcome your inquiries and look forward to working with you on your information technology needs.

ご質問を歓迎いたします。お客様のITニーズに合わせて仕事ができることを楽しみにしております。

Regards,
Sales Division
Japan Consulting
www.jconsulting.co.jp

POINT 1 サービスの内容と特色を分かりやすく伝える
What is the service and what is special about the product or service?

サービスは目に見えない。どのような内容で、どのような特色のあるサービスなのかを、簡単に、しかも受信者の注意をひくように伝える必要がある。例文の場合は、ITコンサルティングで、しかもバイリンガルでコンサルティングができるというのが最大の特色である。冒頭で特色を述べているので分かりやすい。

POINT 2 サービスの質を伝える情報を加える
Provide information that supports the service value

とりわけ新しいサービスの場合、どうして高品質のサービスが期待できるかを説明するためには、サービスを提供するスタッフの専門性や経験、過去の実績をアピールすることが有効である。

POINT 3 情報を得る方法を伝え肯定的なトーンで終わる
End with positive tone

自社の提供するサービスに対する関心が高められれば、こういったEメールの目的は果たされている。あとは、より詳しい情報をどのように得られるかを伝え、肯定的なトーンでEメールを締めくくることである。

USEFUL EXPRESSIONS

❶ サービスの内容と特色を伝える

Japan Consulting is now able to offer information technology consulting services in English and Japanese.

日本コンサルティングは、ITコンサルティングサービスを英語と日本語で提供できるようになりました。

Chapter II Eメール実践編

❷ サービスの質について伝える

Our 20-year track record of proven results is evidence of our commitment to quality and meeting our clients needs.
20年の実績が、弊社の、品質と顧客ニーズへの対応への姿勢を表しております。

Leading the team is Masanori Muraoka.
村岡正則がチームリーダーです。

He is a ten-year veteran in Tokyo's information technology sector.
彼は東京のIT産業で10年の経験を持つベテランです。

His team includes specialists in Internet integration, database administration, telecommunications, and wireless technology.
彼のチームにはインターネット・インテグレーション、データベース管理、テレコミュニケーション、そして無線テクノロジーの専門家がいます。

❸ 肯定的なトーンで終わる

Our information technology consulting services division is committed to offering you the highest-quality services available.
弊社のITコンサルティングサービス部は、可能な限り質の高いサービスを提供する所存でございます。

We welcome your inquiries.
ご質問を歓迎いたします。

We look forward to working with you on your information technology needs.
お客様のITニーズに合わせて仕事ができることを楽しみにしております。

4 住所の変更を伝える
Announcing a change of address

　関係企業の住所は、多くの場合コンピュータのデータベースに保管されている。したがって住所変更も、ファックスや手紙で出すよりEメールで出すほうが、データベースに保管しやすい。

Subject: Orange Computers is moving: Our new address

Orange Computers will be moving from its Akihabara office to a larger office in Shibuya on 23 June.

オレンジコンピュータ社は、秋葉原事務所から、より広い渋谷事務所に6月23日に移転します。

The address of our new office is:
Orange Computers
Nakatani 3 Building, 5th floor
1-2-3 Nakamachi
Nishi-ku, Tokyo
123-4567

新アドレスは以下のとおりです：
〒123-4567　東京都西区中町1－2－3
中谷3ビルディング5階
オレンジコンピュータ社

Our telephone number will become (03)4321-9876 and our fax number will be (03)4321-9875. Our e-mail addresses remain the same.

弊社の電話番号は(03)4321-9876となり、ファックス番号は(03)4321-9875となります。Eメールアドレスは変わりません。

We will be expanding our service and product range in the coming months. We look forward to continuing business with you.

弊社は来月より、より幅広いサービスと製品を提供できるようになります。今後ともよろしくお願いいたします。

If you have any questions about our move, please contact Mr. Kahn in English (kahn@orange.co.jp) or Ms. Shirayama in Japanese (shirayama@orange.co.jp).

今回の移転に関してご質問がありましたら、英語であればカーン(kahn@orange.co.jp)まで、日本語の場合は白山(shirayama@orange.co.jp)までご連絡ください。

Regards,
General Affairs
Orange Computers
E-mail: generala@orange.co.jp

Chapter II Eメール実践編

POINT 1 新しい住所での営業開始日を必ず入れる
When will you move?

新しい住所で仕事を始める日を確実に入れておこう。

POINT 2 Eメールアドレスについても確実に伝えておこう
Tell if your e-mail addresses remain the same

移転してもEメールアドレスだけは変わらないことが多いので、その点を伝えておこう。また、転居前後には電話、ファックスは混乱があるので、確実な問い合わせ先としてもEメールアドレスを伝えておきたい。

POINT 3 必要であればホームページ上の地図の案内をする
Link to the new office map

例文にはないが、なるべく早いうちに自社のホームページに新社屋への案内の地図を載せて、そこにリンクするURLアドレスを書いておく方法も有効である。

USEFUL EXPRESSIONS

❶ 新住所への移転を伝える

Orange Computers will be moving on 23 June.
オレンジコンピュータ社は、6月23日に移転します。

❷ Eメールアドレスの情報を付け加える

Our e-mail addresses remain the same.
弊社のEメールアドレスは変わりません。

If you have any questions about our move, please contact Mr. Kahn in English (kahn@orange.co.jp) or Ms. Shirayama in Japanese (shirayama@orange.co.jp).

今回の移転に関してご質問がありましたら、英語であればカーン(kahn@orange.co.jp)まで、日本語の場合は白山(shirayama@orange.co.jp)までご連絡ください。

❸ ホームページ上の地図にリンクさせる

Please look at the map of our new office at http://www.orange.co.jp/map.

http://www.orange.co.jp/mapで、私どもの新しい事務所の場所の地図をご覧ください。

4 お知らせ ••• BUSINESS

5 イントラネットで社内の内規の変更を知らせる
Announcing a change in policy through intranet

日本語を理解しない社員の多い企業では、イントラネットでのお知らせメールも英語である必要性が出てくる。

次のEメールは経理課から社員全員に宛てられた、外勤交通費の請求に関する内規の変更のお知らせである。

Subject: New Policy: All travel expenses must be claimed monthly

---

Due to an increase in the number of employees who claim travel-related expenses several months after the expense, we have initiated a new policy.

出費から数カ月たって外勤交通費を請求する社員の増加により、新しい内規を作りました。

From next month (February) all travel-related expenses must be claimed monthly. The accounting period is from the 16th of each month to the 15th of the next month. You will be reimbursed for your expenses along with your regular salary on the 25th. The Travel Expense form must be submitted no later than the 17th of each month.

来月(2月)から、外勤交通費は月ごとに請求するものとします。経理の締めは毎月16日から次の月の15日までを対象にします。25日に給料に加算され返済されます。外勤交通費請求書は、毎月17日までに提出されなければなりません。

For example, any travel expenses for the period 16 January to 15 February must be claimed no later than 17 February. You would then receive the claimed amount on 25 February.

たとえば、1月16日から2月15日までの交通費は2月17日までに請求していただくということです。請求された額は2月25日に支払われます。

If you have any questions or concerns about this policy, you can e-mail (just "reply") or call extension 321.

Chapter II Eメール実践編

この内規に関して質問、問題などありましたら、Eメールを送って(返信して)いただくか、内線321にお電話でお願いします。

BigBill Accounting
account@bigbill.co.jp

POINT 1 件名で概要が分かるように
Make sure the subject line gives a good summary

お知らせが何についてであるか、一目で分かるフレーズをメールの件名に書いておこう。イントラネットでは、インターネットメールと同様に社内の重要なメールからゴシップまで、さまざまなEメールが流れる。営業や会議の合間に、数十通のEメールをチェックしている人たちにとっては、プライオリティの高いメールを選ぶには件名がよりどころである。

POINT 2 変更のお知らせの内容は具体的に伝える
Write what will change, when it will change

例にあるように、変更のお知らせの場合は、変更後はどのように変わるのか、いつから変更されるのか、変更の結果がどうなるのかを具体的に書いておこう。

POINT 3 問い合わせ先を記すこと
Let the reader know to whom to ask questions

お知らせメールには、担当者名や部署名など、問い合わせ先も必要である。

USEFUL EXPRESSIONS

❶ 分かりやすい件名の例

New Policy: All travel expenses must be claimed monthly
新しい内規:すべての外勤交通費は毎月請求すること

Policy Change: All cars must obtain a parking sticker
内規の変更:すべての自動車は駐車ステッカーを貼ること

❷ 変更の内容を具体的に伝える

From next month (February) all travel-related expenses must be claimed monthly.
来月(2月)から、外勤交通費は月ごとに請求するものとします。

4 お知らせ ••• **BUSINESS**

> The new policy takes effect on 25 March.
> 新しい内規は3月25日から有効となります。

> The change is effective from 1 April.
> 変更は4月1日からです。

> The accounting period is from the 16th of each month to the 15th of the next month.
> 経理の締めは毎月16日から次の月の15日までを対象にします。

> You will be reimbursed for your expenses along with your regular salary on the 25th.
> 25日に給料に加算され返済されます。

> You would then receive the claimed amount on 25 February.
> 請求された額は2月25日に支払われます。

❸ 問い合わせ先を伝える

> If you have any questions or concerns about this policy, you can e-mail (just "reply") or call extension 321.
> この内規に関して質問、問題などありましたら、Eメールを送って（返信して）いただくか、内線321にお電話でお願いします。

6 イントラネットでミーティングの案内をする
Announcing a meeting through intranet

　社内のイントラネットで最もよく通達されるお知らせは、ミーティングの案内だろう。忙しい組織の構成メンバー全員に、用件がうまく伝わるようなEメールの文面や件名の付け方が要求される。

　次のEメールは、人事担当の浜中さんから、イントラネットを通してスタッフ全員に向けて送られたミーティングのお知らせである。

Subject: Staff meeting at 3 p.m. on 25 March: All are
　　　　 required to attend

On 25 March at 3 p.m. there is a mandatory meeting for

all staff. President Ishikawa will address all staff and
explain the new reorganization plan. It will be held in
Meeting Room A, on the 3rd floor.

3月25日の午後3時にスタッフ全員参加のミーティングを行います。石川社長からすべてのスタッフに向けて、新しい組織の再構築プランの説明があります。場所は3階の会議室Aです。

Please cancel all activities -- sales trips, product
demonstrations, promotional activities, etc. -- so that you
can attend.

すべての外勤、製品のデモ、プロモーション活動などを取りやめてミーティングに参加できるようにしてください。

If you have any questions, please contact me by e-mail or
phone (ext. 321).

ご質問は私までEメールか電話でどうぞ(内線321)。

Regards,
Rie Hamanaka
Personnel

POINT 1 件名で概要が分かるように
Make sure the subject line gives a good summary

前項でも解説したが、ミーティングの連絡をする場合も件名だけで概要を伝えられるように工夫しよう。たとえば、Re: Meetingという件名だけでは、このミーティングの内容は何も伝えることはできない。例文のように、ミーティングの日付(on 25 March)、時間(at 3 p.m.)などが件名に入っているもの、また目的(Staff meeting)、その他の重要な情報(All are required to attend)が含まれていて、一目で内容が分かるものが良い件名である。

POINT 2 ミーティングの情報のみに絞ること
Include meeting information only

お知らせ関係のメールは、すみからすみまで読む人はほとんどいないと考えてもいいだろう。時間、目的、場所、日付などが分かれば、あとは読まない人も多い。他の情報は別のメールで伝えるべきである。

4 お知らせ・・・**BUSINESS**

USEFUL EXPRESSIONS

❶ ミーティングを伝える件名

Meeting with RDI at 10 a.m. on 11 September
RDIとの会議:9月11日午前10時

Urgent sales staff meeting at 1:30: Room 213
緊急営業会議:1時30分213号室

❷ ミーティングの参加条件を伝えるフレーズ

All are required to attend.
全員が参加すること。

Attendance is mandatory.
必ず出席してください。

Attendance is optional.
参加は自由です。

We would like everyone to attend, unless you are on a business trip.
出張中でない方はご出席ください。

❸ 会議の内容を簡潔に伝えるフレーズ

President Ishikawa will address all staff and explain the new reorganization plan.

石川社長からすべてのスタッフに向けて、新しい組織の再構築プランの説明があります。

The purpose of the meeting is to discuss the spring promotional campaign.

ミーティングの目的は、春のプロモーション・キャンペーンについての討議となります。

We will go over plans for our company web site.
弊社のホームページに関するプランを話します。

It will be held in Meeting Room A, on the 3rd floor.
場所は3階の会議室Aです。

The meeting is in the New King Hotel in Naka-ku. There will be a sign at the entrance with the room number.

中区のニューキングホテルで会議を行います。入り口に部屋番号を書いた案内を出します。

Chapter II Eメール実践編

7 時間変更のお知らせ
Time change announcement

いったん確定した会議の時間の変更など、追加情報を伝える場合について考えてみよう。人によっては1日に1度しかメールチェックをしないことがある。前項に挙げた会議のお知らせメールと同時に読む可能性があることも考えておかなくてはならないだろう。

Subject: Time change for 25 March meeting; 3:30 p.m. instead of 3 p.m.

The meeting originally scheduled for 3 p.m. on 25 March has been changed to 3:30 p.m. Please update your schedule.

3月25日の3時に予定していました会議は3時30分に変更になりました。どうか予定をご変更ください。

Rie Hamanaka
Personnel

POINT 1 元の時間と変更後の日時を書いておくこと
Give the original meeting time or day as well as the new ones

1日に複数の会議が予定されている場合も少なくない。会議がもともと予定されていた時間と、変更後の時間の2つを同時に書くことによって、混乱を避けることができる。

USEFUL EXPRESSIONS

❶ 変更前と後の日時を同時に伝える

The meeting originally scheduled for 3 p.m. on 25 March has been changed to 3:30 p.m.
3月25日の3時に予定していました会議は3時30分に変更になりました。

The party will now start at 7 p.m. instead of 8 p.m.
パーティは8時ではなく7時に開始することになりました。

4 お知らせ ••• PERSONAL

The training session will be held on 24 April, instead of 10 April.

研修は4月10日ではなく4月24日に開催されることになりました。

PERSONAL

1 子供の誕生を知らせる
Announcing the birth of child

結婚式の案内、誕生日や卒業のお祝い、葬儀の通知などは、基本的に郵送が普通であったが、最近はEメールも使われ始めている。

Subject: Our new family member: Sachiko

We are very proud to announce a new addition to our family!

家族が1人増えたことをお知らせします。

Sachiko Suzuki was born on 4 July at Toranomon Hospital in downtown Tokyo. Sachiko, weighing 3.1 kilograms, and 50 centimeters long, was welcomed into the world at 6:15 a.m. by her mother Asako and father Kenji, with great delight.

鈴木幸子が7月4日に東京都の中心にある虎の門病院で誕生しました。幸子は体重3.1キログラム、身長50センチで午前6時15分に産声をあげ、母親の朝子と父親の健二に喜んで迎えられました。

Her first name, Sachiko, means "happy child," and her family name, Suzuki, means "bell tree."

彼女の名前サチコは、「幸せな子供」という意味です。姓のスズキは「鈴の木」という意味です。

Mother and child are fine and are resting comfortably. Father has already used three videotapes!

母子ともに健康で、現在ゆっくりと休んでおります。父親はすでにビデオテープを3巻も使ってしまいました。

```
Regards,
Kenji and Asako Suzuki
ksuzuki@kurkur.co.jp
www.kurkur.co.jp/~ksuzu
```

POINT 1 誕生に関する必要な情報が入っているか確認
Make sure you include the basic information

誕生の日付、フルネーム、病院名など、これらの情報は受け取った人がカードや花を送るときに必要なものである。

POINT 2 名前の意味を含めるのも良いアイデア
Include the meaning of Japanese names

英語の名前は聖書からとったものが多く、日本語の名前のようにさまざまな意味を含むものは少ない。日本語ではどのような意味かを付け加えると、英語でEメールを受け取った人たちに喜ばれることが多い。

USEFUL EXPRESSIONS

❶ 誕生を知らせる

We are very happy to announce a new addition to our family!
家族が1人増えたことをお知らせします。

A boy was born on 13 July at Tajima Hospital in Osaka.
7月13日、大阪の田島病院で男の子が生まれました。

❷ 名前の意味を伝える

His first name, Kenta, means "healthy boy," and his family name, Mori, means "woods."
彼の名前ケンタは「健康な男の子」、そして姓のモリは「森」という意味です。

2 引越しの案内
Announcing a move

最近の年賀状の宛名は印刷されたものが増えてきた。家庭でも住所をワープロやコンピュータで管理している人が多くなったということだろう。引越しの案内も、最初からEメールで送ったほうが、こうした家庭にとっては便利なはずだ。

4 お知らせ ・・・ PERSONAL

次のEメールは山田家の転居通知である。

Subject: New address for the Yamadas

We are moving on 1 April. Our new address will be:
3-2-1 Minami Yurigaoka
Nishi-ku, Tokyo
321-0001 Japan

私たちは4月1日に転居します。新しい住所は：
〒321-0001　東京都西区南百合ヶ丘3-2-1

Our new phone number is (03)4321-0987.

新しい電話番号は(03)4321-0987です。

Regards,
Takashi and Kayoko Yamada
tyama@loa.com

POINT 1　メッセージはなるべく短く
Keep the message very short

転居のお知らせに含める情報は、基本的には住所と電話番号のみにしておこう。英語のEメールの場合、時候の挨拶等は不必要である。

POINT 2　件名だけで内容が分かるように
Make sure you put a clear subject line

あとで受信ボックスに入っている情報からすぐに探し出せるように、転居情報だとはっきり分かる件名を付けよう。

USEFUL EXPRESSIONS

❶ 分かりやすい件名

New address for Yuji Yamamoto
山本雄二の新住所

New cell phone number for Miki Nakamura
仲村美樹の新しい携帯電話の番号

3 Eメールがしばらく使えなくなることを知らせる
Announcing that you will not be online

　発展途上国などに出張したときに、ホテルの電話にモデムポートが付いていなかったり、ビジネスセンターが使えなかったりする場合がある。また日本国内でもEメールが使えない環境に旅行しなければならない場合もある。コンピュータを修理に出す場合もあるだろう。Eメールがしばらく使えない場合、ヘビーユーザーであればあるほど、使えない旨を通達しておく必要がある。

Subject: Ishikawas with no e-mail access 10-25 August

Hi,

We are going on vacation from 10 to 24 August, so we will not be online during that time. We should be able to check our e-mail again on 25 August, but I'm sure it will take a few days to get caught up.

8月10日から24日まで私たちは休暇に出かけますので、その期間はEメールが使えません。8月25日にはEメールをチェックできるはずです。しかし、そのあと元のペースに戻るのに2～3日はかかると思います。

Regards,
Hiroshi and Midori Ishikawa

POINT 1 Eメールを使えないときは知らせよう
Announce if you are going to be offline

こういったお知らせを関係者全員に頻繁に書くわけにはいかな

4 お知らせ・・・**PERSONAL**

い。プライベートのEメールなら2〜3日であれば知らせる必要はないだろう。もっともEメールで頻繁に連絡を取っている人には必要である。相手に迷惑をかけない程度の自分なりの基準を作っておこう。

POINT 2 知り合い全員に送る必要はない
Announce to your important contacts only

誰に送るかも問題である。1年に1度しかメールを送らないような相手には必要ない。頻繁にメールをやり取りしており、しかもメールの内容が自分にとって重要である場合に限る必要があるだろう。

USEFUL EXPRESSIONS

❶ Eメールが使えない期間を伝える

We are going on vacation from 10 to 24 August, so we will not be online during that time.

8月10日から24日まで私たちは休暇に出かけますので、その期間はEメールが使えません。

Our computer will be in the shop from this afternoon until midweek, so until we get it back we won't be able to access our e-mail.

私たちのコンピュータは本日の午後から週の中頃まで販売店に持っていきます。コンピュータが戻ってくるまでEメールを見ることができません。

Due to our move, we will not be able to access our e-mail in the immediate future. We need to find a new ISP when we get settled in our new city. We will send everyone an e-mail then.

引越しのためにまもなくEメールが使えなくなります。転居先に行ったら新しいISPを見つけなければなりません。その後でEメールを皆さんに送ります。

We should be able to check our e-mail again on 25 August.

8月25日にはEメールをチェックできるはずです。

4 ホームページについて知らせる
Announcing a new or updated home page

手間暇をかけて作り上げた自分のホームページには、たくさ

んの人に訪れてもらいたいものである。また、新しい写真を加えたり、コンテンツやリンクを増やしたりするなど、ホームページを更新した場合にも、Eメールで友人や知り合いに伝えてあげたい。

次の例は、家族旅行の写真をホームページに載せたことを知り合いに伝えるものである。

Subject: freepage.co.jp/~takenaka has new photos of family trip to Hawaii online

Hi, everyone!

We've recently updated our family home page!
最近、家族のホームページを更新しました。

Photographs of our family in Hawaii have been added to the Vacations page (www.freepage.co.jp/~takenaka/yasumi). We have pictures in the air (when we went parasailing), on the ground (all over Hawaii), and underwater (from scuba diving).
ハワイでの私たち家族の写真が、「休暇」のページ(www.freepage.co.jp/~takenaka/yasumi)に追加されています。空中での写真(パラセイリングをしに行きました)、地上の写真(ハワイの各地)、そして水中の写真(スキューバダイビングをしたときのもの)があります。

If you have a few free moments, stop by and take a look.
時間があれば、ぜひ立ち寄って見てみてください。

Let us know what you think. We'd love to hear from you.
感想をお知らせください。歓迎します。

Regards,
Akira Takenaka
Phone/Fax: 03-1234-9876
atake@loa.com
www.freepage.co.jp/~takenaka

4 お知らせ・・・PERSONAL

POINT 1 写真など内容を変更したときはメールで知らせよう
Make an announcement when you have new content

個人のホームページは、世界中の友人と付き合いを続ける際、自分のことを思い出してもらう良い材料になる。ただし個人のホームページはあまり更新されないので、一度見た人はそれほど頻繁に戻ってきてはくれない。書き換えた場合にはお知らせメールを送ってあげることをお勧めする。

USEFUL EXPRESSIONS

❶ホームページの作成や更新のお知らせ

We've recently updated our family home page!
最近、家族のホームページを更新しました。

We now have a home page for our home business.
家族でやっているビジネスのためのホームページを作りました。

I'm happy to announce that we have created a home page for our artwork.
私たちの芸術作品を載せたホームページを作成しました。

The Smith family home page has been updated.
スミス家のホームページを更新しました。

If you have a few free moments, stop by and take a look.
時間があれば、ぜひ立ち寄って見てみてください。

お礼

Thanking

BUSINESS

1 外国でお世話になった人へのお礼
Thanking for help during a visit to another country

　海外出張したあとに訪問先にお礼を送るのは基本的な礼儀である。会議のアレンジやホテルの手配、食事などをホストしてくれた人、また出会った人の中でも職位の高い重要人物などには簡単なものでかまわないのでお礼のEメールを送っておきたい。

　次のEメールは、ニューヨークを訪問した村崎さやかさんが、「サクセス日本社」を代表して、ニューヨークでホストしてくれたニコラス・ネイションさんに送付したEメールである。

Subject: Thanks for your help during my visit to NY

Dear Mr. Nation,

I want to express my gratitude to you and your staff for being such wonderful hosts during our trip to NY. On behalf of Mr. Uchida and the rest of our group, I would like to thank you for making our trip as smooth as possible.

私たちのニューヨーク滞在中に、あなたとあなたのスタッフには大変お世話になり、ありがとうございました。内田をはじめ私たちグループ全員を代表して、私たちの旅行を可能な限り順調なものにしていただいたことにお礼を申し上げます。

We are all full of great memories of the special things you

5 お礼 ・・・ BUSINESS

coordinated for us -- the theater, the city tour, and most of all, the excellent dinner at Chez Louis.

劇場、市内観光、そして何よりもシェ・ルイでのすばらしいディナーなど、あなたの手配のおかげで、私たちは全員、良い思い出を持ち帰ることができました。

We do look forward to seeing everyone in Tokyo next spring for the annual meeting. If there is anything we can do to facilitate your trip here, please let us know.

来年の春の年次会議で、東京で皆様にお会いできることを本当に楽しみにしております。こちらで皆様の旅行をお手伝いすることがありましたら、お申し付けください。

Sincerely,
Sayaka Murazaki
Success Nihon

POINT 1 お礼のメールは短いものに
Thank you e-mail can be very short

基本的に、お礼のメールは、とりたてて相手に伝えるべき重要な情報は含まない。定型的なお礼のフレーズ以外は、ほんのいくつかの具体的な事例に対する感謝の念を伝えるパラグラフで十分である。

POINT 2 帰国後タイミングを逃さずに書くこと
Write and send thank you e-mail within one or two days

海外出張後に事務所に戻ると、決済を求める書類や郵便、ファックスが山のように机の上に積み上げられているはずだが、それでも帰国後しばらくしてから書くのでは、お礼のEメールの意味がなくなってしまう。短いものでいいので、なるべく早急に送るべきである。

POINT 3 手書きの礼状のほうが良いこともある
Reading handwriting feels much more personalized

Eメールは気軽に送れてコストが安い通信手段ではある。しかし、コストや速度の問題だけで、どのような連絡にもEメールを選ぶのではなく、お礼状のようなものには手書きのカードを使うことも考えよう。手書きのほうが心がこもった感じを与えることができる。

Chapter II Eメール実践編

USEFUL EXPRESSIONS

❶ 定型的なお礼

I want to express my gratitude to you and your staff for…
あなたとあなたのスタッフが…してくれたことにお礼を申し上げます。

On behalf of Mr. Uchida and the rest of our group, I would like to thank you for…
内田をはじめ私たちグループ全員を代表して、…にお礼を申し上げます。

❷ 具体例も含めたお礼

Thank you so much for helping us with the airlines (/hotels/taxis/restaurants/entertainment/transportation/conference site/tour).
航空機(/ホテル/タクシー/レストラン/娯楽/交通手段/会議場/ツアー)の手配をありがとうございます。

We are very grateful to you for the flowers.
お花をいただき本当にありがとうございます。

We are so thankful to you for the wonderful accommodations.
すばらしい宿泊設備をありがとうございます。

We do look forward to seeing everyone in Tokyo.
東京で皆様にお目にかかれることを本当に楽しみにしております。

We look forward to seeing you again.
もう一度お目にかかれることを楽しみにしております。

If there is anything we can do to facilitate your trip here, please let us know.
こちらで皆様の旅行をお手伝いすることがありましたら、お申し付けください。

2 プロジェクトへの支援のお礼
Thanking for help with project

　海外出張後と同様によく使われるお礼のEメールに、プロジェクト終了後に支援してくれた人たちへ送るものがある。まだ記憶の新しいうちに、お礼のEメールを出して、今後同じように支援が必要なときの人脈を確保しておくという狙いもある。
　次のEメールはZファイルと呼ばれるプロジェクトの支援をしてくれたジョンに対するお礼のEメールである。

5 お礼 ••• BUSINESS

Subject: Thank you for help with Z-File

Hi, John.

Well, it looks like we're going to finish the Z-File project on time thanks to your help. On behalf of the Product Development team, I want to thank you for your ever-patient support and guidance.

あなたのご協力のおかげで、どうやらZファイル・プロジェクトが予定通りに終わりそうです。製品開発チームを代表して、あなたの忍耐強いご支援とご指導にお礼を申し上げます。

As you know, the success of our company is closely tied to the success of Z-File, so we owe you a big debt of gratitude. Mr. Sasaki seems to be pleased with Z-File, which makes our team feel proud.

ご存知のように、弊社の成功はZファイルの成功に深く結び付いております。本当にいくら感謝をしてもし足りないと感じております。佐々木さんもZファイルに満足の様子で、私たちも誇りに感じています。

As a token of our gratitude, we'd like to take you and your wife out for dinner before you go back to California. I know a great sushi restaurant in Ginza, so just let me know when you're both available.

感謝の気持ちとして、カリフォルニアに帰られる前に奥様とご一緒にお食事に招待したいと考えております。銀座に良いすし屋があります。お2人のご都合のいい時間を教えてください。

Kind Regards,
Kenichi Tsutsui
R&D
Sakura Software

POINT 1 何に対する感謝なのかを書き忘れないこと
Include why you are thankful

上記のEメールは、プロジェクトをジョンが手伝ってくれたことに対するお礼である。漠然とただ感謝の言葉を並べるだけでな

Chapter II Eメール実践編

く、具体的にどのような行為や気持ちに対して感謝しているのかを伝えることが大切だ。

POINT 2 贈り物より食事のほうが効果的
Many visitors would appreciate dinner or drinks

お礼にお土産を渡すよりもずっと喜ばれるのが、食事への招待である。海外に短期滞在する人はなかなか地元の人と親密になる機会が少ないものである。そういうときは、食事への招待や、居酒屋での一杯に誘うこと。もちろん夫婦で来日している場合は、2人とも誘うべきである。

USEFUL EXPRESSIONS

❶ 感謝を述べる

I want to thank you for your ever-patient support and guidance.
あなたの忍耐強いご支援とご指導にお礼を申し上げます。

We owe you a big debt of gratitude.
本当にいくら感謝をしてもし足りないと感じております。

We owe you our thanks and gratitude.
感謝とお礼の気持ちを伝えなくてはなりません。

It was because of your effort that the project finished on time (/under budget).
プロジェクトが時間通りに(/予算内で)終了したのはあなたの努力のおかげです。

❷ お礼として何かを提供する

As a token of our gratitude, we'd like to take you and your wife out for dinner (/send a gift certificate/send beer coupons/send a telephone card).

感謝の気持ちとして、あなたと奥様を食事にご招待(/ギフト券をお送り/ビール券をお送り/テレフォンカードをお送り)したいと思います。

Let me know when you're available.
いつがご都合がいいかを教えてください。

3 何かちょっとしたことを手伝ってもらったお礼
Thanking for help with something small

社内のイントラネットは、身近な人に、ちょっとしたお礼の言

5 お礼 ••• BUSINESS

葉を送るのにも便利である。あらためて文章で送ることによって感謝の気持ちを強く伝えることができる。とりわけ外国人と一緒に働いていると、とっさの場面で適切な言葉が出てこない場合がある。そんなときは、考えながら書けるEメールの特徴を活かしてお礼をするという方法も効果的である。

次のEメールは、社内でジャネットに親切にしてもらったメグミが、その場で適切なお礼の言葉が言えなかったために、オフィスに戻ってから送ったものと、そのEメールに対するジャネットの返事である。

To:　　　b_janet@happynet.com
From:　　k_megumi@happynet.com
Subject: Thanks for the help!

Hi, Janet.

I just wanted to thank you for your help with the photocopier this afternoon. I appreciate your taking the time to show me how to use the copier. I never would have figured it out without you.
今日の午後、コピー機のことで助けていただいたお礼を言いたかったのです。時間をとって私にコピー機の使い方を教えてくれて感謝しています。あなたがいなかったらどうやったらいいかきっと分からなかったと思います。

See you at lunch.
ではお昼に。

Megumi

To:　　　k_megumi@happynet.com
From:　　b_janet@happynet.com
Subject: Re: Thanks for the help!

Hi Megumi.

> I just wanted to thank you for your help with the
> photocopier this afternoon.
> 今日の午後、コピー機のことで助けていただいたお礼を言いたかったのです。

No problem. I'm always glad to help. Maybe next time I will be asking you for help.
どういたしまして。いつでもお手伝いしますよ。次は私が何か助けてもらうかもしれません。

Janet

POINT 1 お礼のメールは短く
Do not overwrite thank you e-mail

社内のEメールはなるべく短くが原則。忙しい人に長々としたお礼のEメールを送るのは嫌がらせにしかならない。簡潔にしよう。

POINT 2 軽いお礼に返事は無用
You do not need to send a response to most thank you e-mail

こういった軽いお礼に、いちいち返事を書いていたらイントラネットの交通に余計な負担がかかるだけである。普通、返事は必要ないと考えていいだろう。ただし、上記の返事のようなものは、より親しい人間関係を作り上げるのに役に立つこともある。

USEFUL EXPRESSIONS

❶ ちょっとしたことへの感謝

I just wanted to thank you for your help with the photocopier (/the fax machine/the e-mail system/my computer/the word processing software/my paperwork).

コピー機(/ファックス/Eメールシステム/私のコンピュータ/ワープロソフト/事務処理)のことで助けていただいたお礼を言いたかったのです。

I appreciate your taking the time to show me how to use the projector (/printer/beeper/cell phone/answering machine).

時間をとって私にプロジェクター(/プリンター/ポケベル/携帯電話/留守番電話)の使い方を教えてくれて感謝しています。

5 お礼 • • • **PERSONAL**

❷結びの表現

See you at lunch (/later/this evening/at the meeting tomorrow/ this weekend/in the break room).
お昼に(/あとで/今晩/明日の会議で/今週末/休憩室で)会いましょう。

PERSONAL

1 ホストファミリーへのお礼
Thanking a host family

　ホームステイで世話になったホストファミリーには、Thank you letterを出すのが礼儀である。カードや手紙が一般的だが、Eメールユーザーであれば、もちろんEメールでもかまわない。

　次のEメールは、オーストラリアで滞在していたホストファミリーへのお礼のメールである。

Subject: Thank you for the wonderful home stay

Dear Mr. and Mrs. Taylor,

Well, I'm finally back in Kobe. The flight back to Japan was not very smooth, so I couldn't sleep very much.
ついに神戸に帰ってきました。日本への空路はあまりスムーズではなかったのであまりよく眠れませんでした。

I want to thank you for being my host family in Australia. I had a wonderful time with you all. I miss you already!
オーストラリアでホストファミリーになってくれてありがとうございました。あなた方とすばらしい時間を過ごしました。もうすでに皆さんと会えなくて寂しい気持ちになっています。

I have so many wonderful memories of my home stay. I

Chapter II Eメール実践編

will never forget your kindness. No matter how homesick I became, you always did your best to cheer me up. Thanks for your love and concern.

ホームステイのすばらしい思い出がたくさんあります。あなた方のご親切は決して忘れません。どれほどホームシックになっても、いつも一所懸命に私の気持ちをなごませようとしてくれましたね。あなた方の愛とご配慮に感謝します。

When I get more time in the next few days, I'll write more. Maybe I can use a lot more English now compared to two months ago.

あと2〜3日して、もっと時間がとれるようになったら、もっとたくさん書いてメールします。2カ月前に比べたら、今はもっとたくさん英語が使えると思います。

Thanks again!

再度お礼を言います。

Regards,
Yuki Nishikawa

POINT 1 お礼状はすぐに出すこと
One or two days is the most you should wait

お礼状は帰ってきてから1日か2日の間に出すのが一般的である。帰国直後は忙しいだろうが、短いEメールで十分なので、なるべく早く書こう。詳しく書くのは、もう少し時間がたってからでもいい。

POINT 2 まず帰りのフライトについて書こう
Begin the e-mail by saying how the flight was

帰国早々のお礼のEメールに何を書いていいか分からないという場合には、まず帰りのフライトがどうだったかを書くといいだろう。実際、フライトについて書く人は多い。

POINT 3 パーソナルなタッチを出すために自分の気持ちを書いておこう
Include what you feel and felt, to add a personal touch

どの文例集にも載っているようなお礼の言葉だけでなく、"I miss you already."「もうすでにあなたに会えなくて寂しい気持ちになっています」とか、"I still think about you often."「あなたのことをよく考えます」などといったフレーズを活用しよう。

5 お礼・・・PERSONAL

POINT 4 最後にもう一度お礼を書こう
A good way to end thank you e-mail is to write "Thanks again."

最後に、冒頭の部分とは違う表現でお礼をもう一度繰り返すという締めくくり方もよく使われる。

USEFUL EXPRESSIONS

❶ お礼の言葉を伝える

I want to thank you for being my host family in Australia (/taking care of me in London/showing me around Vancouver/giving me a tour of Miami).

オーストラリアでホストファミリーになってくれて(/ロンドンで面倒をみてくれて/バンクーバーを案内してくれて/マイアミを案内してくれて)ありがとうございました。

❷ 簡単な感想

I had a wonderful time with you all.
あなた方とすばらしい時間を過ごしました。

My trip to Cambridge was great (/excellent/super).
ケンブリッジへの旅行はすばらしかった。

I have so many wonderful memories of my home stay.
ホームステイのすばらしい思い出がたくさんあります。

I will never forget your kindness.
あなた方のご親切は決して忘れません。

❸ 締めくくりのお礼

Thanks for your love (/concern/friendship/hard work/hospitality).
あなたの愛(/配慮/友情/熱心な仕事/もてなし)に感謝します。

Thanks again!
再度お礼を言います。

2 あらかじめお礼を伝える
Using "Thanks in advance"

Thank you letterは、どのような用件にもすべて必要だとは限

らない。小さな用件に対するお礼は、事前の依頼のEメールの中にあらかじめ含めておくことで省くことができる。

次のEメールはソフトウエア会社に商品に関して問い合わせるものである。軽い依頼なので、あらかじめお礼の言葉が書かれている。

Subject: Inquiry about "Super English, Intermediate" sales

Dear EducativeSoft,

Do you sell "Super English, Intermediate"? If so, could you send me order and international shipping information?
『スーパーイングリッシュ中級』を販売していますか。もしそうであれば、注文と国際配達に関する情報を送ってもらえますか。

Thanks in advance.
あらかじめお礼を申し上げます。

Regards,
Shigeru Takahashi
shiget@happynet.com

POINT 1 事前のお礼はちょっとした依頼に使う
Use "Thanks in advance" when you are making a small request

"Thanks in advance." は決まった言い方なので、ちょっとした依頼に付け加えておくことができる。そうすれば、あらためてお礼のEメールを書く必要がない。

USEFUL EXPRESSIONS

❶ 事前のお礼

Thanks in advance.
あらかじめお礼を申し上げます。

Thank you in advance for your help.
ご支援に対して、あらかじめお礼申し上げます。

5 お礼 ••• **PERSONAL**

3 贈り物に対するお礼
Thanking for a gift

　誕生日、結婚記念日、さまざまな機会に思わぬ人から贈り物が届けられることがある。直接会ってお礼が言えるにこしたことはないが、そうでないときには素早くお礼のメールを書こう。
　次の例は、高校1年の夏休みにホームステイをした林君が、ホストファミリーから卒業祝いの商品券を受け取ったお礼である。

Subject: Thank you for the graduation gift

Dear Mr. and Mrs. Wu,

Thank you so much for the graduation gift. As you know, I am planning on attending university in America, so I will use your generous gift to purchase an alarm clock with the international time zone settings. When I look at the clock I will think of my favorite American family!

卒業祝いの贈り物をありがとうございました。ご存知のように、私はそのうち、アメリカの大学に進学しようと考えています。ですから、いただいたもので、世界のタイムゾーンがセットされている目覚し時計を購入しようと思っています。時計を見たときに、私の大好きなアメリカの家族のことを考えることでしょう。

I do hope that we will be able to meet again during my summer vacation. I am lucky to already have my first friends in America.

また夏休みにお会いできることを期待しています。アメリカにもう最初の友人ができたことを幸運だと思っています。

With gratitude,
Naoki Hayashi

POINT 1　Eメールのお礼でも失礼にはならない
More acceptable ways to send a thank you message

かつては、お礼状は手紙でというのが常識だったが、現在ではE

129

Chapter II Eメール実践編

メールもお礼状としてかなり一般的に使われるようになっている。手書きのほうがより喜ばれることもあるかもしれないが、Eメールが失礼だと感じられることはまずないだろう。

POINT 2 どのように贈り物を使うかを書いてあげよう
Say for what you will use the gift

贈り物に絵をもらったら、「居間に飾ろうと思います」などのように、どのような使い方をするかを書けば、送った人はそれを読んで、実際に喜ばれる贈り物を贈ることができたと実感できる。例文のEメールでは、もらった商品券で目覚し時計を買うと書いているが、これもどのように使うかを書いた1つの例といえるだろう。

POINT 3 お礼のEメールに返事の必要はない
Replying to thank you e-mail is not necessary

この場合のウーさん夫妻のように、贈り物を贈った相手からお礼のEメールが来たときは、必ずしも返事を書く必要はない。お祝いのメッセージは、贈り物と一緒にあらかじめ送るのが普通である。

USEFUL EXPRESSIONS

❶ 贈り物に対するお礼

Thank you so much for the graduation (/birthday/Christmas/wedding/wedding anniversary) gift.

卒業祝いの(／誕生日の／クリスマスの／結婚の／結婚記念日の)贈り物をありがとうございました。

❷ 使い道について書く

When I look at the clock I will think of you.
時計を見たら、あなたのことを考えます。

I'll hang it on the living room door, so everyone can see it.
居間のドアにかけておきます。そうすればみんなが見ることができます。

4 推薦状を書いてもらったお礼
Thanking for the recommendation

海外の大学に入学を申し込む際や、海外の企業に就職の応募

をする場合には、推薦状を要求されることが多い。そのために誰かに推薦状を依頼しなければならないが、書いてくれた人にはお礼状を出す必要がある。相手が普段からEメールを使っているのであれば、手紙ではなくEメールのお礼でも感謝の気持ちは通じる。

Subject: Thank you for the recommendation letter

Dear Professor Waters,

Thank you so much for writing a recommendation letter for me. I am very appreciative of all the support and encouragement you gave me during my stay in the United States.

推薦状を書いていただき、ありがとうございました。アメリカにいたときの、あなたのご支援と励ましにとても感謝しています。

I do not know the results of the screening process yet, but I am sure that your letter will help.

選考についての結果はまだ分かりませんが、あなたの手紙が助けになったことは確信しています。

Many thanks.
どうもありがとうございました。

Saburo Yamada
syamada@loa.com

POINT 1 推薦状を書いてもらったらお礼を
Write a small thank you e-mail for recommendations

推薦状の他に、自分と一緒に働いた人にその人の意見(reference)を電話などで伝えてもらうということを依頼しなければならない場合もある。将来の雇用者が、応募者から提供された参考人リストの中から同僚や取引先に連絡をとって、その人から意見を聞くということも少なくない。そういった場合にもお礼が必要である。

Chapter II Eメール実践編

POINT 2 結果に関する状況を伝えよう
Include information about the results

お礼のメールを出した時点で、結果が分かっていればそのことを伝える必要がある。まだ不明であれば、例文のようにその旨を伝えて、結果が分かり次第連絡すると書く方法もある。

USEFUL EXPRESSIONS

❶ 支援へのお礼を述べる

Thank you so much for writing a recommendation letter for me.
推薦状を書いていただき、ありがとうございました。

Thank you so much for introducing me to Mr. Ishii of Dai Chemical.
ダイ化学の石井さんをご紹介いただきましてありがとうございました。

❷ 結果について話す

I do not know the results of the screening process yet.
選考についての結果はまだ分かりません。

Mr. Ishii and I spoke for two hours about developing a partnership.
石井さんと私はパートナーシップを発展させる話を2時間しました。

Many thanks.
どうもありがとうございました。

依頼

BUSINESS

1 プロジェクトの進行状況の報告を求める
Requesting information about the status of a project

中間報告あるいは進行状況の報告書はprogress reportという。海外企業との提携にはさまざまな形態があるが、進行のための本部を日本に置き、海外の現場での仕事をコントロールするというケースも少なくない。海外のビジネスパートナーとの共同作業は密なコミュニケーションが必要になる。まず、ビジネスパートナーに対して、進行状況の報告を求めるときのEメールを見てみよう。

次の例は、あるプロジェクトのための準備の様子を日本から問い合わせたものと、それに対する返事である。

To: "Wang Lee" <lee@tengine.co.th>
From: "Ichitaro Fukuda" <ifukuda@dynosystems.co.jp>
Subject: Req: Project status report

Dear Mr. Lee,

It's been four weeks since we started the B Car project. Can you give me a progress report on the following issues?

私たちがB自動車プロジェクトを始めてから4週間がたちましたね。次の点についての中間報告をいただけませんか。

1. Is the project team formation complete? In other words, do you have all the staff you need?

1. プロジェクトチームはできあがりましたか。言い換えれば、すべての必要なスタッフがそろっていますか。

Chapter II Eメール実践編

2. Has all of the office and laboratory setup been completed? If not, what is left to be done?

2. 事務所や作業所はすべてできあがりましたか。もしまだであったら、何がまだできていないのですか。

3. We sent some early prototypes by express air courier a few days ago. Have they arrived yet?

3. 2〜3日前に、速達の航空便で初期段階のプロトタイプを送りました。すでに着いていますか。

We are very excited to begin this new project with your company. Please let me know if there is anything you need.

御社と、このプロジェクトを始めるということで張り切っています。何か必要なことがあればお知らせください。

Regards,
Ichitaro Fukuda
Project Manager, Dyno Systems, Japan

To: "Ichitaro Fukuda" <ifukuda@dynosystems.co.jp>
From: "Wang Lee" <lee@tengine.co.th>
Subject: Re: Req: Project status report

Hi, Mr. Fukuda.

Here is a reply to your requests about the B Car project.

B自動車プロジェクトに関するご依頼の返信です。

> 1. Is the project team formation complete?
> 1. プロジェクトチームはできあがりましたか。

Almost. We are still waiting on the visas for our German engineers, but everyone should be here in Bangkok by the end of the month. My work is shifting from personnel matters to office setup now.

ほとんどできています。ドイツ人の技術者のビザをまだ待っていますが、月

末までには全員がここバンコクにそろうでしょう。私の仕事は人事からオフィスの立ち上げに移ろうとしています。

> 2. Has all of the office and laboratory setup been
> completed? If not, what is left to be done?

> 2. 事務所や作業所はすべてできあがりましたか。もしまだであったら、何
> がまだできていないのですか。

We've had some problems with the real estate company and the building contractor. They have promised us that we will be able to move in on 21 November. I will keep you advised if there is any further delay.

不動産会社とビルの契約会社との間にちょっとした問題があります。11月21日には引越しできると約束してくれました。これ以上の遅れが出た場合には連絡をします。

> 3. We sent some early prototypes by express air courier
> a few days ago. Have they arrived yet?

> 3. 2〜3日前に、速達の航空便で初期段階のプロトタイプを送りました。
> すでに着いていますか。

Yes, they are on my desk now.
はい、今私の机の上にあります。

Thank you so much for your concern, Mr. Fukuda.
福田さん、気にかけていただいてありがとうございます。

Regards,
Wang Lee
Thai Engineering

POINT 1 依頼は質問の形をとる
Make your request in the form of a question

たとえば、"I am concerned about the project"「プロジェクトに関して気をもんでいます」ではあまり明確な要求になっていない。"Could you give me a progress report on the project?"「プロジェクトについての中間報告をくださいませんか」というような疑問文で尋ねること。また"I'd like you to give me a progress report on the project."「プロジェクトについての中間報告をいただきたい」

Chapter II Eメール実践編

という、疑問文ではない形の直接的な要求は、状況によっては
ややぶしつけな依頼になるので注意しよう。

POINT 2 箇条書きにして焦点のはっきりした質問にする
Make a series of more focused questions

必要な答えを得るためには、要求している答えがはっきりして
いる質問をすることである。たとえば "How is the project team
formation?"「プロジェクトチームのできあがり具合はどうです
か」では、求めている答えがはっきりしない。例文のように "Is
the project team formation complete?" であればYes/Noで答えるこ
とが求められていることが分かる。

POINT 3 フォローアップの質問を使って具体的な情報を求めていこう
Use follow-up questions to get detailed answers

例文のEメールではまず事務所と作業所の準備ができているか尋
ねておいて、次に "If not, what is left to be done?" と、より具体
的で詳細な情報を求めている。

POINT 4 読み手に背景事情が伝わるように質問しよう
Give the reader background information

いきなり「もうプロトタイプを受け取ったか」と尋ねるよりも、
自分の側からいつ何を送ったかという情報をあらかじめ与えて
おいてから質問をしよう。例文では "3. We sent some early
prototypes by express air courier a few days ago." と、まず書き手側
の情報を伝えている。

USEFUL EXPRESSIONS

❶ 疑問文で依頼する

Can you give me a progress report on the following issues?
次の点についての中間報告をいただけませんか。

Could you give me an update on your progress (/your project/
the lawsuit)?

進捗状況(/あなたのプロジェクト/訴訟)についての最新の情報をいただけま
すか。

❷ 焦点のはっきりした質問

Are the negotiations complete?
交渉は終わりましたか。

6 依頼・・・BUSINESS

Has the office been set up yet?
事務所の準備はもうできましたか。

Have the prototypes arrived yet?
プロトタイプはもう届きましたか。

❸ フォローアップの質問

If not, what is left to be done?
もしそうでなければ、何がまだ終わっていないのですか。

What do you still need to do?
まだ何かする必要があるのですか。

❹ 依頼の締めくくり

Please let me know if there is anything you need.
何か必要なことがあればお知らせください。

❺ 返事の冒頭

Here is a reply to your request about the B Car project.
B自動車プロジェクトに関するご依頼の返信です。

❻ 質問に対する答え

Almost (all).
ほとんど(全部)です。

There is just a little more to do.
あと少しです。

Not yet.
まだです。

We're far from finishing.
まだまだ終わりそうにありません。

There is going to be a slight delay (/a big delay).
少々(/大幅に)遅れるでしょう。

The setup should be completed within a month.
完了は1カ月以内です。

We are going to cancel the project due to technical difficulties (/government regulations/opposition from the community).
技術的な困難のため(/政府の規制により/地域の反対により)プロジェクトをキャンセルします。

2 商品の詳細を求める
Requesting information about product details

　商品を購入したり、商品の取り引きを始めたりするときに、パンフレットや見本市のデモンストレーションでは確認できない細かい部分を尋ねる必要が出てくることがある。そういった場合の詳細の問い合わせのEメールは、どういう書き方をするのが適当かを考えてみよう。

　次の例は、海外のメーカーで作っている製品を日本に輸入して販売しようと考えている企業の担当者が、メーカーに製品の詳細を尋ねている文面と、その返信である。

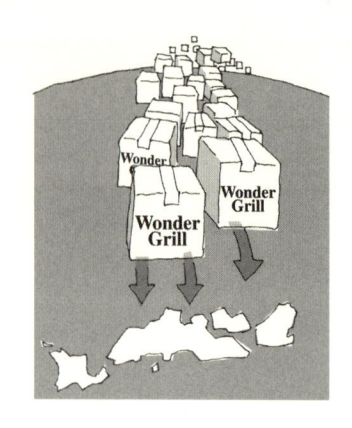

To: "Nancy Underwood" <n.underwood@bgrill.co.uk>
From: "Yumi Matsuoka" <matsuoka@tojapan.co.jp>
Subject: Req: Specifications of Wonder Grill

Dear Ms. Underwood,

Thank you for the information you sent us about your portable gas grills. We are very interested in importing your Wonder Grill to Japan.

御社のポータブルガスグリルに関する情報を送っていただきましてありがとうございます。御社のワンダーグリルを日本に輸入することに非常に関心があります。

I have a few questions about the product specifications of Wonder Grill.

ワンダーグリルの仕様に関して少し質問があります。

6 依頼 ••• BUSINESS

1. The brochure says that the grill comes in red or green. Would it be possible to have them in black too?

1. パンフレットでは、グリルの色は赤か緑ということですが、黒を手に入れることは可能でしょうか。

2. I could not find the exact dimensions of the grill and the box. What are the width, length, and depth of the grill? How thick is the metal? What are the dimensions of the box?

2. グリルと箱の正確な大きさが分かりませんでした。グリルの幅、長さ、深さはどのようになっていますか。金属部分の厚さはどの程度でしょう。また箱の寸法はいかがでしょうか。

3. Could you give us an estimate for the following bulk purchase numbers: 1,000, 10,000, and 25,000?

3. 1000台、1万台、そして2万5000台まとめて購入した場合の価格の見積もりを送っていただけますか。

Thank you in advance for the answers to the above. We will, of course, contact you soon concerning our decision.

上記の質問に対する御社のお答えに対して、あらかじめお礼を申し上げます。弊社の意思決定については、もちろんご連絡いたします。

Regards,
Yumi Matsuoka
Import Specialist
To Japan, Inc.
matsuoka@tojapan.co.jp

To: "Yumi Matsuoka" <matsuoka@tojapan.co.jp>
From: "Nancy Underwood" <n.underwood@bgrill.co.uk>
Subject: Re: Req: Specifications of Wonder Grill

Dear Ms. Matsuoka,

Thank you for your questions about Wonder Grill. The following should answer your questions, but please do not hesitate to contact me again if anything is unclear or you have further questions.

ワンダーグリルに関するお問い合わせをありがとうございます。以下はあなたの質問の答えになると思います。不明瞭な点やさらなるご質問がありましたらご遠慮なくご連絡ください。

> 1. The brochure says that the grill comes in red or green.
> Would it be possible to have them in black too?

> 1. パンフレットでは、グリルの色は赤か緑ということですが、黒を手に入
> れることは可能でしょうか。

For a bulk purchase of more than 10,000 units, we would be very happy to produce a black model. Indeed, we are even able to incorporate special graphic designs on bulk orders. I am sure we could even put Japanese writing on the grills, if you order in bulk. This would be at no additional cost.

1万台以上まとめてご購入される場合は、喜んで黒のモデルを製造させていただきます。実際にまとまったご購入の場合は、特別なグラフィックデザインを取り入れることも可能です。まとめてご注文いただければ、グリルに日本語の文面を入れることもできると確信しております。このことによる追加費用はかかりません。

> 2. I could not find the exact dimensions of the grill and
> the box.

> 2. グリルと箱の正確な大きさが分かりませんでした。

Grill
Length: 58 centimeters
Width: 35 centimeters
Depth: 25 centimeters
Metal thickness: 4 millimeters

グリル
長さ: 58センチ
幅: 35センチ
深さ: 25センチ
金属の厚さ: 4ミリ

Box
Length: 65 centimeters
Width: 50 centimeters
Depth: 50 centimeters

6 依頼 • • • BUSINESS

箱
長さ: 65 センチ
幅: 50 センチ
深さ: 50 センチ

Please note that we are able to print custom boxes for you if you make a bulk purchase.

まとめて購入いただける場合は、お客様用に印刷した箱を用意できますこともお知りおきください。

> 3. Could you give us an estimate for the following bulk
> purchase numbers: 1,000, 10,000, and 25,000?

> 3. 1000台、1万台、そして2万5000台まとめて購入した場合の価格の見積
> もりを送っていただけますか。

This is just an estimate. Our manufacturing supply costs are always changing, so your final cost could vary by 10-15% (up or down) depending on when you order.

これは見積もりにすぎませんが、弊社の製造コストは常に変動しております。そこで最終的な費用は、ご注文の時期により10%から15%の幅で(増減ともに)変わってきます。

* 1,000 units (red or green; no customized boxes) = £10,000 plus shipping (£10/unit)

* 1000台(赤か緑 [特別製の箱はなし]) = 1万ポンドと送料(1台につき10ポンド)

* 10,000 units (black, red or green; customized boxes) = £80,000 plus shipping (£8/unit)

* 1万台(黒か赤あるいは緑 [特別製の箱付き]) = 8万ポンドと送料(1台につき8ポンド)

* 25,000 units (black, red or green; customized boxes) = £180,000 free shipping

2万5000台(黒か赤あるいは緑 [特別製の箱付き]) = 18万ポンドで送料無料

Our lead-time for 1,000 units is just a week, and for a 10,000 or 25,000 unit order, our lead-time would be about 4-6 weeks.

準備に必要な時間は1000台でしたらわずか1週間、1万台あるいは2万5000台の場合は4〜6週間です。

Chapter II Eメール実践編

We at British Grill are confident that you will find our grills to be top quality. Currently we export to 27 countries, including many in Asia. We look forward to adding Japan to the list.

私どもブリティッシュグリル社は、弊社のグリルが最高の品質であることをご理解いただけると確信しています。現在、アジアの多くの国を含む27カ国に輸出しています。そのリストに日本を加えることを楽しみにしています。

Kind Regards,
Nancy Underwood
International Sales
British Grill
n.underwood@bgrill.co.uk

POINT 1 質問に答えやすいEメールにしよう
Make your e-mail more reader-friendly

質問にはなるべく迅速に答えてもらいたい。そのためには、答えやすい形で質問を送るのがコツである。まず、それぞれの質問には番号を振っておこう。また各質問は行を変えて相手が読みやすいようにしよう。質問の背景的な情報(パンフレットには書いてなかったなど)を加えることも、答えやすいEメールにする条件である。

POINT 2 質問者がさらに不明点を質問しやすい返信内容に
Encourage your reader to ask additional questions

十分な情報の交換は、何度かEメールをやり取りしないとなかなかできるものではない。せっかく質問してきてくれた相手に対して返信するとき、例文で使っているような "The following should answer your questions, but please do not hesitate to contact me again if anything is unclear or you have further questions." といった1文を入れておいてあげると、追加の質問を気軽に書いてもらえる文面になる。

POINT 3 会社に良い印象を持ってもらえる終わり方にしよう
Finish the e-mail by giving a positive image of your company

製品についての質問にすべて答えたあとに、自社の長所などについてさりげなく付け加えておくようにしよう。そうすることによって、自社に良い印象を持ってもらえる。例文では、今ま

で何カ国に輸出しているかということと、取引先を日本にも広げようと希望しているといった情報を付け加えている。

USEFUL EXPRESSIONS

❶ 自社の希望を伝える

We are interested in establishing a joint manufacturing facility in Malaysia.
弊社は、共同でマレーシアに生産施設を作り上げることに関心があります。

❷ 答えやすい形での質問

Could you ship your product with customized labels?
御社の製品を、特別製のラベルを貼ってお送りいただけますか。

We would like an estimate for an order of 500 pieces.
500個の注文に対するお見積もりをいただきたいと思います。

❸ 追加の質問を歓迎する

Please do not hesitate to contact me again if anything is unclear or you have further questions.
不明瞭な点やさらなるご質問がありましたらご遠慮なくご連絡ください。

Please let us know if our explanation is unclear.
弊社の説明が不明確なときはお知らせください。

❹ 購入条件などを伝える

We can customize the product for bulk purchases.
まとめてご購入いただく場合は、製品を特別注文でお作りすることもできます。

This would be at no additional cost.
このことによる追加費用はかかりません。

There is no cost for this option.
このオプションには費用はかかりません。

This is free.
これは無料です。

There is a nominal cost for this option.
この案では少額の費用が発生します。

We offer this option for an extra cost.
この案は追加料金がかかります。

Chapter II Eメール実践編

This is just an estimate.
これは見積もりにすぎません。

This is just a rough estimate.
これは概算です。

Your final cost will vary depending on when you place your order.
最終的な費用は、ご注文の時期により変わってきます。

We can fill orders for this product in a week (/within two weeks/in less than a month).
この製品に関しては1週間以内に(/2週間以内に/1カ月未満で)ご注文分を納品できます。

❺ 締めくくりの表現

Thank you in advance for the answers to the above.
上記の質問に対する御社のお答えに対して、あらかじめお礼を申し上げます。

We'll let you know when we make our decision.
意思決定ができたらお知らせします。

3 サービスに関する問い合わせ
Request for information about a service

製造物だけでなく、コンサルタントなどにもサービスについて問い合わせることが考えられる。サービスは目に見えるものではないので、写真やサンプルで説明することはできない。よりEメールの文面に頼ることになる。

次のEメールはレンタル会社にサービスの問い合わせをしたものである。

To: LA Rentals
From: "Jun Mori" <j_mori@nshipping.co.jp>
Subject: Req: Do you provide rental assistance?

Dear LA Rentals,

I am writing on behalf of Nippon Shipping. We are a large

6 依頼・・・BUSINESS

international shipping company with nearly 4,000 employees. Currently about 30% of our staff are stationed outside of Japan.

日本輸送を代表して書いております。弊社は約4000名の従業員を抱える大規模な国際輸送会社です。現在、弊社のスタッフの30%が日本国外に駐在しています。

We found your home page through www.rentalsearch.com.

御社のホームページをwww.rentalsearch.comを通して見つけました。

We are looking to establish an ongoing relationship with a rental agent in the greater Los Angeles area. We are looking for someone to coordinate the housing needs for our 35 families. Since our employees rotate out of LA every two years, we need to provide relocation assistance to approximately 18 families a year.

弊社は、ロサンゼルス圏の不動産業者と、実質的な業務上の関係を作り上げたいと考えています。弊社では社員の35家族の住宅を必要としており、手配できるところを探しています。弊社の社員は2年ごとの交替でLAから離れますので、毎年約18家族の転居を支援しなくてはなりません。

Do you provide rental assistance? If so, could we set up a meeting next month between the 18th and 25th? I will be in LA for some staff meetings, and I would like to establish contact with a rental agent at that time.

御社は、賃貸の業務を行っていますか。もしそうであれば、来月の18日から25日の間にミーティングを開けますでしょうか。私はスタッフミーティングのためにLAにいますので、その間にどこかの不動産業者と契約したいと思っています。

Regards,
Jun Mori
Personnel Manager
Nippon Shipping, Tokyo

POINT 1 相手のアドレスを知った経緯を説明する
Write how you found their e-mail address

知らない相手にEメールを送るときは、どのような経緯でアドレスを知ったかということを簡単に伝えるのが普通である。この文例は、ホームページ上に公開されているアドレスへのEメール

だが、公開されていないアドレスにEメールを送って何か依頼するときは、どのようにそのアドレスを知ったかを書いておきたい。不正に自分のアドレスが伝わっているのではないかという疑念を最初から持たせないようにする工夫である。

POINT 2 ミーティングの設定は可能な日時をまず伝えること
Write your available date(s) when requesting the meeting

こちらから面会を依頼する場合には、なるべく調整に手間取らないようにまず自分の希望する日にちや時間帯を伝えておくことが大切である。相手にその中から選んでもらえば1回のEメールのやり取りで時間を決めることができる。

USEFUL EXPRESSIONS

❶ 自分自身や自社、用件について伝える

I am writing on behalf of Nippon Shipping.
日本輸送を代表して書いております。

I am manager of the purchasing division of Genki Co., Ltd.
私は元気株式会社の購入部門の管理者です。

I am inquiring about your service (/company/products) on behalf of my company.
御社のサービス(／御社／製品)につきまして、弊社を代表して問い合わせいたします。

We are a medium size trading company with nearly 100 employees.
弊社は、約100名の従業員を抱える中規模の貿易会社です。

Go Nippon is a manufacturer of sports equipment (/electronics/textiles).
ゴーニッポンはスポーツ器具(／電機製品／布地)を製造しております。

❷ アドレスを知った経緯を説明する

We found your home page through www.rentalsearch.com.
御社のホームページをwww.rentalsearch.comを通して見つけました。

Ms. Catharine Pitman of Gold Electronics gave me your e-mail address.
ゴールドエレクトロニクスのキャサリン・ピットマンさんが、あなたのEメールアドレスを教えてくれました。

6 依頼 ・・・ BUSINESS

4 依頼を断る
Denying a request

依頼に対して丁重に断らなければならない場合もある。しかし、そのままビジネス関係を断ってしまうつもりならともかく、せっかくの依頼なので、今後のビジネスの発展につながるような断り方をする方法を知っておくといいだろう。

次は、前項の依頼に対する断りの返信メールである。

To: "Jun Mori" <j_mori@nshipping.co.jp>
From: service@larentals.com
Subject: Re: Req: Do you provide rental assistance?

Dear Mr. Mori,

> Do you provide rental assistance?
> 賃貸の援助をしていらっしゃいますか。

I am afraid that we do not provide apartment rentals. LA Rentals is a furniture leasing company.

残念ながら、弊社ではアパートの賃貸をしておりません。LAレンタルは家具のリースを扱う会社です。

We would welcome the opportunity to provide your staff with short- or long-term furniture rentals. We have contracts with many international companies here in LA.

この機会に、喜んで御社のスタッフに短期および長期の家具のレンタルを提供させていただければと思います。弊社はここLAでも多くの国際企業と契約しております。

Perhaps you may find the following links to be of use in your search for rental accommodations in LA.

おそらく、次のリンクがLAの宿泊施設の賃貸の検索のお役に立つものと思われます。

www.apartmentsinla.com
www.mylahome.com
www.apartment-la.com

Chapter II Eメール実践編

> Best wishes in your search.
> 良い結果が得られますようお祈りします。
>
> Regards,
> Leon Davis
> Customer Relations
> LA Rentals

POINT 1 依頼は丁寧に断る
Deny politely

依頼を断る場合は丁寧に断ろう。I'm afraid...、Unfortunately...、We are not able to...といった表現で依頼を受けることができないことを伝えると、丁寧な印象を与えることができる。

POINT 2 依頼を断る理由を明示する
Write the reason why you deny the request

自社が相手の依頼に応えることのできない理由もしっかり書く必要がある。理由がはっきりしている場合は、その理由を書くことが最低限の礼儀だと考えよう。

POINT 3 代案を提示する
Suggest what you can do instead

依頼に応えられなくても、自社に何ができるかを書いてあげることも、文章に丁寧な感じを与える。たとえ相手には必要ないと考えられることでも、提供できるサービスや商品について教えてあげよう。思わぬ展開でビジネスが始まる可能性もある。

POINT 4 相手の助けになる他の情報を与える
Provide information that might be helpful to the sender

例文では、URLのアドレスをいくつか挙げている。問い合わせ先として、他にも社名、電話番号、Eメールアドレスなどを紹介することもできるはずである。

USEFUL EXPRESSIONS

❶ 丁寧に断る

> I am afraid that we are not able to send you the brochure to you requested.
> 残念ながら、ご依頼のあったパンフレットは送ることができません。

6 依頼・・・PERSONAL

Unfortunately none of us are available on the suggested days.
残念ですが、ご提案いただいた日程が空いている者が誰もおりません。

❷ 断る理由を伝える

We ran out of the brochure and are not planning to reprint it since we have released a new product on the same lines.
そのパンフレットは品切れで、追加印刷する予定がありません。なぜならば同じシリーズで新製品を発売したからです。

We are holding a conference in the following week in Wisconsin.
その次の週にウィスコンシンでカンファレンスを開催するのです。

❸ 代案の提示

We are glad to send brochures of the new product, B-Pack, instead.
その代わり、新製品のB-Packのパンフレットを喜んでお送りします。

We are happy to set up a meeting any day in the week after next.
次の週でしたらどの日でも喜んでミーティングを設定します。

❹ 助けになる情報を伝える

Mr. Floyd Wilson of Pillar Furniture will be happy to assist you. His e-mail address is fwilson@pillar.com.
ピラー家具のフロイド・ウィルソンさんが喜んでお手伝いできるはずです。彼のEメールアドレスはfwilson@pillar.comです。

You might want to call JET Corp. for the technology consultation.
技術的な相談でしたらJET Corp.に電話をしてみたらいかがでしょう。

PERSONAL

1 ツアーなどの旅行情報を求める
Asking about tour and travel information

　最近は、インターネットを使って直接航空チケットを予約することもできるし、また英語のEメールさえ使いこなせれば、海外のホテルや現地でのイベントなど、すべて国内から事前に予約することが可能である。施設などは、事前にウエブサイトで

Chapter II Eメール実践編

目で見て確認できるので安心でもある。
　次のEメールは、フィリピンに旅行する前に、スキューバダイビングの資格を取るコースについて現地に問い合わせているものである。

Subject: Scuba certification classes from 12 to 17 June?

Dear Scuba Paradise,

We found your web site on the Internet when looking at Cebu, Philippines resorts.

フィリピンのセブ島のリゾートを調べているときに御社のウエブサイトをインターネットで見つけました。

My husband and I have a short vacation in mid-June, and we are looking to arrange accommodations and an open water PADI course for the two of us.

6月の中旬に夫と短い休暇をとりますので、2人分の宿泊と、PADI（Professional Association of Diving Instructors：プロのダイビングインストラクターの協会）のオープンウォーターのコースを手配しようと思っています。

Are you able to offer us a complete open water PADI certification course in Japanese on the days 13, 14 and 15 June? (Neither of us speak or read English enough to receive the training solely in English.) If so, what would be the cost, including study materials and the required dives?

6月の13、14、15日の間に、PADIオープンウォーターの資格取得コースを日本語で提供することはできますか（私たちは2人とも英語だけでトレーニングを受けられるほど十分な英語を話したり読んだりすることはできません）。もし可能であれば、教材と必要なダイブを含む費用はいくらになりますか。

As a separate issue, we would like to arrange suitable accommodations during our stay. Could you recommend a mid-level hotel or resort within a short distance of your school? If you could provide the names, phone numbers, and if possible the web sites, we would very much appreciate it.

別件ですが、滞在中の適当な宿泊施設を手配したいのです。スクールの近くにある中級のホテルかリゾートホテルを推薦していただけますか。名前と電

6 依頼 • • • **PERSONAL**

話番号、可能であればウエブサイトを教えていただけるととてもありがたいのですが。

Thank you in advance.
あらかじめお礼を申し上げます。

Regards,
Mayumi Nakagawa

POINT 1 最初にどこから相手の名前を調べたかを書こう
Start your e-mail by telling where you learned of receivers

多くのサービス機関は、自社のことをどうやって知ったかに関心を示す。友人からの推薦であれば、その友人の名前を付け加えるのも良いアイデアである。うまくいけばスペシャルサービスを受けることも可能である。

POINT 2 問い合わせに必要な自分の情報を入れること
Include necessary personal information

「いつサービスを利用したいのか」「何人か」、また、例文では日本語を要求していたが、「特別なサービスを要求するか」、そして「希望する費用」などを書いておくことが大切である。

POINT 3 件名にはクエスチョンマークを入れる
Put a question mark in the subject line

件名にクエスチョンマークを入れることにより、必ず返事をしなくてはならないメールが届いていることが、受け取り人にすぐに分かる。

POINT 4 依頼は丁寧に
Ask politely

基本的には業者と顧客の力関係は、日本よりも英語社会のほうが平等に近い。客は代価を払う代わりに、業者はそれに見合ったサービスをするという関係だと理解されている。質問はなるべく丁寧な疑問文(Could you...?など)を使って書こう。

USEFUL EXPRESSIONS

❶ どうやって相手を知ったかを伝える

My friend stayed at your resort and recommends you highly.
友人があなたのリゾートに宿泊して、熱心に推薦してくれています。

We were informed of your e-mail address from the Southeast Asian Tourist Association.
あなたのEメールアドレスは、東南アジアツーリスト協会に教えてもらいました。

❷ 自分の希望と問い合わせ内容を知らせる

We are looking to arrange accommodations and an open water PADI course for the two of us.
2人分の宿泊と、PADIのオープンウォーターのコースを手配しようと思っています。

We would like to find a place where there is a good French restaurant.
良いフランス料理店がある場所を知りたいのですが。

Do you offer tours from 30 May to 3 June (/during rainy season/during the off season)?
5月30日から6月3日の間(/雨期/オフシーズン)にツアーを催行しますか。

If yes, what would the approximate cost be?
もしそうであれば、費用はだいたいどの程度ですか。

❸ 丁寧な依頼

Could you recommend a mid-level hotel or resort within a short distance of your school?
スクールの近くにある中級のホテルかリゾートホテルを推薦していただけますか。

Could you recommend an upscale shopping area (/a low-cost guide service)?
高級なショッピング地域(/廉価なガイドサービス)を推薦していただけますか。

If you could provide the names, phone numbers, and if possible the web sites, we would very much appreciate it.
名前と電話番号、可能であればウエブサイトを教えていただけるととてもありがたいのですが。

❷ 特別なサービスを依頼する
Asking for a special service

　知り合いにEメールで個人的な依頼をすることもあるが、電話と違い、相手はいろいろと事情を聞きながら必要な情報を探ることはできない。こちらがあらかじめ事情を詳しく伝え、相手からの返事を待てばいいというEメールを送る必要がある。

6 依頼 ・・・ PERSONAL

次のEメールは英会話学校の生徒が、先生に特別な依頼をしているものである。

Subject: Request: Can I bring my son to our English lesson?

Hi, Wendy.

This is Yuji Sato, from your Saturday 6-8 p.m. group lesson at Happy Eikaiwa. I have a request.

こちらは、土曜日の午後6時から8時にハッピー英会話のグループレッスンを受けている佐藤祐二です。お願いがあります。

My wife is going on a short business trip this weekend, so I will be taking care of our baby son (3 months old), I really want to attend your lesson on Saturday. Would it be OK for me to bring my son to the lesson?

妻が今週末に短い出張に出掛けます。そのため、私は乳児の息子(3カ月)の世話をすることになります。土曜日の授業にはぜひ出席したいので、クラスに息子を連れていってもよろしいですか。

I'm sure he will probably sleep, and if he does make any noise, I will take him out of the room immediately so as not to disturb the other students.

彼はたぶん寝ていると思います。もしうるさいようでしたら、他の生徒の迷惑にならないように、すぐに教室の外に連れて行くつもりです。

Please let me know by Wednesday, so I can make plans.

どうか水曜日までに教えていただけますか。そうすれば私も予定を立てることができます。

Regards,
Yuji Sato

POINT 1 自分が誰であるかをはっきりと示すこと
Identify yourself clearly

たくさんの人からEメールを受ける相手には、とりわけ、冒頭で自分が誰かはっきり示すことが必要である。「こんにちは、お元

気ですか」といった内容では、誰が書いてきたか分からずに文面を読み始めることになってしまう。こうなると、たとえ英語に大きなミスがなくても、相手には意味がつかみにくい。例文に登場する教師なども、たくさんの人に出会うタイプの職業であり、送り手が誰かということが分からないととても困るはずである。生徒であれば名前、クラス名、クラスの時間帯などを伝えるといい。

POINT 2 最初と最後に返答を促す表現を書こう
Make sure that the other person answers your e-mail quickly

Eメールの最初には、まず "I have a request." や "I have a question for you." といった依頼のEメールであることを明示する文章を書き、最後に "Please let me know by Wednesday, so I can make plans." のように、返事をいつまでにもらいたいかを伝える文章を入れよう。これですぐに返事が来る率がぐんと上がるはずである。

USEFUL EXPRESSIONS

❶ 自分が誰であるかを伝える

This is Mieko Noda from your previous company, Tech Net.
こちらは、あなたが前に勤めていた会社テクネットの野田美恵子です。

This is Kotaro Takasaki, a student from your 1999 Marketing course.
こちらは、1999年にあなたのマーケティング・コースをとった高崎幸太郎です。

❷ 最初に依頼を伝える

I have a request for you.
お願いがあります。

I have a short question for you.
短い質問があります。

Would it be OK for me to talk with you before the party?
パーティの前にお話しさせていただいてよろしいですか。

Would it be all right if I borrowed your CD next week?
来週あなたのCDを借りたいのですが、よろしいですか。

❸ いつまでに返事をほしいかを伝える

If you could reply by Friday, I'd appreciate it.
金曜日までに返事がもらえるとうれしいのですが。

6 依頼・・・PERSONAL

> Let me know your answer within a week.
> 1週間以内に返事をいただけますか。

3 オンラインショッピングの製品について問い合わせる
Asking for information about a product online

　オンラインショッピングは、インターネット上で今後最も利用される機能の1つだろう。海外の業者に英語で商品に関する問い合わせができれば、より良い買い物ができるようになるはずである。

　次の例は、ウエブサイト上で十分に説明されていない商品の情報を業者に問い合わせたEメールである。

To:　　　NetSells.com
From:　　h_yoshinaga@loa.com
Subject: Req: Tech information about WonderCam 2010

Dear NetSells,

I am very interested in your WonderCam 2010 to use for videoconferencing.

テレビ会議に使うための御社のワンダーカム2010に強い関心があります。

I have just one question: What is the cord length? I can't find the info on your web site.

1つだけ質問があるのですが。コードの長さはどのくらいですか。ウエブサイトではその情報を発見することができなかったのですが。

Thanks in advance.

あらかじめお礼します。

Regards,
Hideki Yoshinaga
h-yoshinaga@loa.com
www.gogo-net.co.jp/~yoshinaga

Chapter II　Eメール実践編

POINT 1　返信を得るため短くシンプルなEメールを
Keep your e-mail very short and easy to answer

オンラインショッピングの業者の場合、一般的に質問に対する反応は速い。しかし、あまり要旨がはっきりしないEメールには即答しない場合もある。1日に処理する問い合わせの数が多いために、時間がかかりそうなものは後回しにされることがあるからである。なるべく短く、質問が何かがはっきり分かるEメールにしよう。3日待って返事がない場合は、あらためて同じ文面を再送してみよう。

POINT 2　件名を分かりやすく
Make your subject line very descriptive

援助がほしい場合は、件名にHelpと入れてからほしい援助の内容を書くという方法をとると、受信者はどのようなアクションが望まれているか、はっきり分かる。件名があまり長いと、受信者の画面にすべての文章が表示されないことがあるので、依頼であればReq（Requestの略）、問題が発生した場合はProb（Problemの略）、質問がある場合はQuest（Questionの略）、会議を求めるときはMtg（Meetingの略）、などの略語を使うこともできる。

USEFUL EXPRESSIONS

❶ シンプルな質問

I am very interested in your WonderCam 2010.
御社のワンダーカム2010に強い関心があります。

I'd like to use it for videoconferencing (/desktop publishing/my web site/producing multimedia/developing an e-commerce site).
テレビ会議（／DTP／私のウエブサイト／マルチメディアを作るため／Eコマースサイトを開発するため）に使いたいと思っています。

I can't find the info on your web site.
あなたのウエブサイトではその情報を発見することができなかったのですが。

❷ 略語を使った件名

Req: Tech info about HappySoft
依頼：ハッピーソフトの技術的情報

Quest: Car rental in Evansville
質問：エバンズビルでのレンタカー

4 情報の要求に対する返信
Response to request for information

Eコマースのサイトに質問を送った場合には、当然返事は英語で戻ってくることが予想される。どのような返信が戻ってくるかの具体例を知っておくと、さらなる対応もしやすいだろう。

次のEメールは、前項で取り上げたワンダーカム2010に対する問い合わせの回答である。

To: h_yoshinaga@loa.com
From: support@netsells.com
Subject: Re: Req: Tech information about WonderCam 2010

Dear Mr. Yoshinaga,

Thank you for your interest in WonderCam 2010.
ワンダーカム2010に興味をお持ちいただきありがとうございます。

> What is the cord length?
> コードの長さはどのくらいですか。

It's 3 meters.
3メートルです。

> I can't find the info on your web site.
> ウエブサイトではその情報を発見することができなかったのですが。

You're right. Thanks to you, we've updated our site with

more tech info. You can see the full information at www.wernetsells.com/wondercam/tech.

その通りです。おかげさまで、より多くの技術情報を盛り込んでサイトを書き換えました。すべての情報をwww.wernetsells.com/wondercam/techで見ていただくことができます。

Regards,
Edward Scott
Customer Service
NetSells, Inc.

POINT 1 期待に添えないときは感謝の言葉で応える
Begin by thanking when your answer is not very good news

例文の場合は、要求された情報（コードの長さ）について、業者の側から回答がなされている。しかし、技術情報が不十分であったことは確かである。日本でこういった質問をすると、形式的に「不十分な情報で申し訳ありません」という謝罪が返ってくることが多いが、英語でのやり取りでは、不十分な技術情報しか提供できなかったことに対して、謝罪ではなく感謝の言葉を返すのが普通である。「不十分な情報で申し訳ありませんでした」というコメントを期待をしていると不満が残るかもしれないが、謝罪は英語のビジネスでは、「相手の怒りを静める」というよりは「自社の非を認める」と理解されてしまうため、告訴されたときなどは不利な材料になる。今回の事例のように、不備な点を指摘した上で情報を求めた場合に、相手からの反応として、謝罪ではなく感謝の言葉を期待していれば不満は感じないはずである。

USEFUL EXPRESSIONS

❶ 感謝の表現

Thank you for your interest in WonderCam 2010.
ワンダーカム2010に興味をお持ちいただきありがとうございます。

Thanks to you, we've updated our site with more tech info.
おかげさまで、より多くの技術情報を盛り込んでサイトを書き換えました。

Because of your request, we've put all the information online.
あなたのご依頼のおかげで、オンラインにすべての情報を入れることができました。

6 依頼・・・PERSONAL

5 リンクの交換の依頼
Request to exchange links

　ネットサーフィンをしていて偶然、自分のホームページの内容に関係のあるサイトを見つけたとき、自分のページからリンクしてみたいと感じることはないだろうか。こうした場合は、いったん相手にEメールを書いてリンクの許可を得るのがマナーである。またお互いにリンクを付けてリンクを交換する提案をしてもいいだろう。

　次のEメールは、日本に住む主婦が海外のよく似たホームページを持っている人を見つけてリンクの交換の依頼をしているものである。これをきっかけにEパルになることも期待できる。

Subject: Would you like to exchange links?

Dear Ms. Sommers,

Hi. My name is Rumiko Uchida. I'm a homemaker living in Kyoto.
こんにちは、私の名前は内田留美子です。京都に住む主婦です。

I came across your site about your trip to Kyoto today. I, too, have a Kyoto site www.gogo-net.co.jp/~uchida.
あなたの京都旅行のサイトを今日偶然見つけました。私も京都のサイトwww.gogo-net.co.jp/~uchidaを持っています。

Since our sites complement each other very well -- yours is mostly text and mine is mostly graphics -- I thought you might like to exchange links. If you're interested, please let me know.
あなたのサイトは文章が多く、私のサイトは写真が多くて、私たちのサイトは良い相互補完の関係にありますので、リンクの交換をしたらどうだろうと考えました。もし関心があればお知らせください。

Even if you're not interested in putting a link to my site on your links page, could I have permission to link to your home page? I think your site is really great.

Chapter II Eメール実践編

> たとえあなたが私のサイトにリンクすることに関心がなくても、あなたのホームページに私のほうからリンクする許可をいただけますか。あなたのサイトは本当にすばらしいと思います。
>
> I look forward to hearing from you.
> お返事を楽しみにしています。
>
> Best regards,
> Rumiko Uchida
> ruchida@gogo-net.co.jp
> www.gogo-net.co.jp/~uchida

POINT 1 簡単に自己紹介しよう
Introduce yourself briefly

初めての相手にEメールを書くのだから、本題に入る前に簡単な自己紹介をしよう。リンクを希望する理由を明記することも必要である。

POINT 2 リンクは許可をもらって
It is good etiquette to ask permission to make a link

リンクをするときに、誰もが必ず許可を得るためのEメールを送るとは限らない。しかし、できれば本人に直接尋ねておきたい。同じ興味を持った人が多いはずなので、新しい友人ができるきっかけにもなる。大きな商業的なサイトには、形式的な依頼でも十分である。

POINT 3 リンクを双方向にすれば訪問者が増える
Offer to put a link to another site to get more visitors

自分のページに相手のページのリンクを入れるだけでなく、リンクを交換すれば、自分のページへの訪問者の数は増えるはずである。訪問者を増やすために、なるべくリンクを交換する希望を相手に伝えよう。

USEFUL EXPRESSIONS

❶ 簡単な自己紹介

I'm a homemaker (/university student/office worker/retired person) living in Kyoto.
私は、京都に住む主婦(/大学生／会社員／定年退職した者)です。

It seems we share the same interest.
同じ興味を持っているようですね。

Our sites complement each other very well.
私たちのサイトは良い相互補完の関係にあります。

❷ リンクの許可を依頼する

Can I link to your home page?
あなたのホームページにリンクしてもよろしいですか。

❸ リンクの交換を求める

I thought you might like to exchange links.
リンクの交換をしたらどうだろうと考えました。

Even if you're not interested in putting a link to my site on your links page, could I have permission to link to your home page?
たとえあなたが私のサイトにリンクすることに関心がなくても、あなたのホームページに私のほうからリンクする許可をいただけますか。

If you're interested, please let me know.
もし関心があればお知らせください。

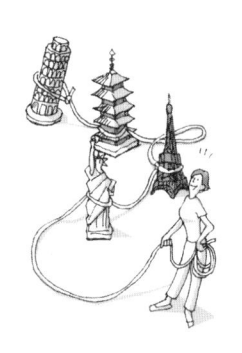

7 お詫び　Apologizing

BUSINESS

1 サービス上の手違いに関して謝罪する
Apologizing for service mistake

すでに「問題解決」(p.73)と「依頼」(p.158)で書いたが、日本と欧米とでは、謝罪の言葉の捉え方が若干異なっている。その点に注意して、謝罪あるいはお詫びのEメールを考えたい。

日本では相手の怒りを鎮めることが謝罪の役割でもあるが、欧米では謝れば自分の落ち度を認めることになるため、日本ほど頻繁には謝罪は行われない。ただし、だからといっていっさい謝罪をしないほうがいいというわけではなく、明らかに自分に落ち度があると感じたら、時期を逃さずに謝罪のEメールを送るべきである。

次の例は、日本企業の担当者が、料金支払い済みの顧客に対して再び請求書を送ってしまったという手違いに対する謝罪のEメールである。

Subject: Apology for double invoice

Dear Ms. Stone,

Please accept our apologies for sending you a second invoice, even though you have paid your account in full. Our accounting section updated its software last month, and the last week of payments was not entered into the new system.

7 お詫び・・・BUSINESS

お客様がすでに全額お支払いになっているにも関わらず、2度目の請求書をお送りしたことに対してお詫びいたします。弊社の経理部門が先月ソフトウエアをバージョンアップいたしましたために、先週の支払い分が私どもの新システムに入力されておりませんでした。

We sincerely regret the inconvenience this has caused you. Rest assured that our records have been updated to reflect your current account status. We at Japan Chemical will make every effort to make certain this does not happen again.

お客様にご迷惑をおかけいたしましたことを遺憾に感じております。お客様の現在のお支払い状況につきましては、確かに最新の情報が記録されておりますので、ご安心ください。私ども日本ケミカルは2度とこのようなことが起こらないように全力を尽くします。

Regards,
Minoru Takeda
Account Specialist
Japan Chemical, Inc.

POINT 1 謝罪は迅速に
Send an apology immediately

謝罪のEメールは「なるべく迅速に」が基本である。ミスが発見されて、即座に返事が来ると、顧客は誠実さとプロフェッショナリズムを同時に感じるはずである。数日たってからの謝罪では、あまり誠実さを感じさせないばかりか、信頼性にも疑問を持たれることになる。

POINT 2 問題点に焦点を絞ること
Focus directly on the issue

謝罪のEメールは漠然としがちである。「ご迷惑をおかけしました」というだけでなく、自社のミスは何であったかを伝える必要がある。「当方の手違いで」といったあいまいな理由でなく、なぜミスが生じたかという具体的な理由を簡単に説明することが大切である。

POINT 3 今後の問題解決のための方策を説明する
Mention what steps you have taken to resolve the problem

ミスによって生じた問題を解決するために、どのような方策をとるのか説明しておく必要もある。要点以外の情報は極力書か

ないで、なるべくシンプルで短いものにしておくことが重要である。

USEFUL EXPRESSIONS

❶ 謝罪の気持ちを表す

Please accept our apologies for sending you a second invoice.

お客様に2度目の請求書をお送りしたことに対してお詫びいたします。

We apologize for the incorrect account statement of 3 June (Account #321-9876).

6月3日の誤った精算状況表(帳票番号321-9876)に関してお詫び申し上げます。

On behalf of Nippon DataTech, I extend my sincere apologies for the incorrect money transfer.

ニッポンデータテックを代表しまして、誤った送金に関して心からお詫びを申し上げます。

We do apologize for any inconvenience or embarrassment this may have caused you.

お客様へにご迷惑をおかけし、困惑させましたことを心からお詫び申し上げます。

❷ 問題の原因を説明する

Our accounting section updated its software last month, and the last week of payments was not entered into the new system.

弊社の経理部門が先月ソフトウエアをバージョンアップいたしましたために、先週の支払い分が私どもの新システムに入力されておりませんでした。

Because of our computer system trouble, there was a two to four day delay in our delivery.

弊社のコンピュータシステムのトラブルにより、2日から4日の配送の遅れが生じました。

❸ 対策を伝える

Rest assured that our records have been updated to reflect your current account status.

お客様の現在のお支払い状況につきましては、確かに最新の情報が記録されておりますので、ご安心ください。

7 お詫び・・・BUSINESS

We will make every effort to avoid making the same mistake again.
同じような間違いが生じませんように全力を尽くします。

2 誤った配送に関して謝罪する
Apologizing for an incorrect shipment

　明らかに自社の手違いで顧客に負担や迷惑をかけた場合には、なるべくすばやく謝罪のメールを書いておきたい。ここでは事態を悪化させないための謝罪のEメールについて考えてみよう。
　次の謝罪のEメールは、自社から間違えた商品を配送してしまったことに関するものである。

Subject: Order #3828: Incorrect Shipment of Stuffed Pandas

Dear Mr. Gonzalez,

Please let me apologize for the incorrect shipment (order #3828) of our stuffed toy pandas (part #848-82K) which arrived yesterday (18 February). Thank you for bringing this matter to our attention.

昨日(2月18日)納品いたしました、ぬいぐるみパンダ(製品番号848-82K)の誤配送(注文番号3828)につきましてお詫びいたします。この件をお知らせいただきましてありがとうございます。

We will have our agent in Mexico City pick up the incorrect shipment this week. The correct shipment of wind-up toy pandas (part #8580-87L) will be sent from our factory in Shanghai this week by air freight. All freight expenses will be borne by us, so you will be re-billed for just the cost of the pandas. I will send you the tracking numbers when I get them.

メキシコシティの業者に誤配送物を今週受け取りにやらせます。ご注文のねじ式パンダ(製品番号8580-87L)の配送につきましては、今週、航空貨物で弊社の上海工場から発送いたします。送料はすべて弊社で負担いたしますので、パンダの料金だけ再請求いたします。追跡番号を入手し次第お送りいたします。

We hope that this resolution is acceptable to you. If not, please let me know ASAP.

Chapter II Eメール実践編

> この解決方法で納得していただけることを希望しております。ご納得いただけない場合は、早急にご連絡ください。
>
> Again, we do apologize for the problem. You are a valued customer, and we will make every effort to avoid damaging our relationship in the future.
>
> 再度、この問題に関してお詫び申し上げます。あなたは大事なお客様です。将来、お客様との関係を損なわないよう、最善の努力をして参りたいと思います。
>
> Regards,
> Kiriko Nakatsugawa
> International Sales
> Kawaii Toys, Inc.

POINT 1 必要な情報をもれなく書くこと
Put all the important information

製品の誤配送などの事故は重なることがある。自社では初めてでも、顧客のほうは2度、3度と重なっていることもあるため、請求書番号、製品番号など必要な情報はすべて明示しよう。相手はその番号に合わせて情報を整理したり調べたりできる。

POINT 2 ミスの連絡に対するお礼を伝える
Thanking for information

ミスを相手に指摘された場合は、相手の指摘に対してお礼を伝えることが礼儀である。

POINT 3 自社の対応について説明しよう
Confirm your follow-up

ミスの対応については、どのような対応をするかをステップを踏んで伝えることも重要である。

USEFUL EXPRESSIONS

❶ 謝罪とともに必要な情報を伝える

Please let me apologize for the incorrect shipment (order #3828) of our stuffed toy pandas (part #848-82K).

ぬいぐるみパンダ（製品番号848-82K）の誤配送（注文番号3828）につきましてお詫びいたします。

I want to apologize for the warehouse shipment mix-up on May 24, 2001.
2001年5月24日の倉庫への配送の混乱をお詫びいたします。

❷ ミスの指摘へのお礼

Thank you for bringing this matter to our attention.
この件をお知らせしていただきましてありがとうございます。

We do appreciate your bringing this issue to our attention.
この件を知らせていただき、本当にありがとうございます。

❸ 自社の対応を伝える

We will have our agent in Mexico City pick up the incorrect shipment this week.
メキシコシティの業者に誤配送物を今週受け取りにやらせます。

All freight expenses will be borne by us.
送料はすべて弊社で負担いたします。

We will cover all the costs of picking up the old product and the delivery of the new product.
弊社で古い製品の受け取りにかかる費用と新しい製品の送料をすべて負担いたします。

You will be re-billed for just the cost of the pandas.
パンダの料金だけ再請求いたします。

I will send you the tracking numbers when I get them.
追跡情報を入手し次第お送りいたします。

We will send you a fresh invoice reflecting the new amount due.
新しい請求書を、新たな期限でお送りいたします。

We hope that this resolution is acceptable to you.
この解決方法で納得していただけることを希望しております。

If not, please let me know ASAP.
そうでない場合は、早急にご連絡ください。

❹ 締めくくりの表現

You are a valued customer, and we will make every effort to avoid damaging our relationship in the future.
あなたは大事なお客様です。将来、お客様との関係を損なわないよう、最善の努力をして参りたいと思います。

Chapter II Eメール実践編

3 会社を代表して適切でない行動を詫びる
Apologizing for inappropriate behavior on behalf of company

　過去の事例が語るように、日本からの派遣社員が海外の基準や常識が分からずに、セクハラや人種差別的な行動をとってしまい問題を起こすことがある。人種、民族、宗教、性別、性的志向、年齢など、日本ではあまり厳しく差別の対象とされないものまでが、重大な問題となる国も少なくない。

　ビジネス界だけでなく、スポーツ、政治の世界でもいくつか新聞を賑わした事件があった。そういった行動を自社の社員がとったときも速やかに謝罪する必要がある。謝罪がうまくいかなかったために訴訟問題にされて大きな損失を被ることも少なくない。

　次のEメールは、自社の社員が性差別的かつ民族差別的なジョークを言って取引先の女性社員を怒らせたことに対する、上司の池田さんからのお詫びである。

Subject: Apologies for Mr. Noda's behavior

Dear Ms. Rouseau,

It has come to my attention that Mr. Noda, our LA representative, behaved in a rude and insensitive way toward you last week. This came to my attention this morning, so it is just now that I am able to address the issue.

先週、弊社のLAでの代表である野田が、無礼で無神経な振る舞いをしたという報告を受けました。この情報は今朝、私の耳に入りましたために、今ようやく、この件に関して対策を講じている次第です。

Mr. Noda's behavior was completely unacceptable no matter how you look at it. His sexist and racist jokes show that he needs to undergo sensitivity training before he can continue his regular duties.

野田の行為は、どのように見ても、まったく受け入れられるものではありません。彼の性差別的で民族差別的なジョークは、彼が日常の業務に戻る前に、感受性の訓練を受ける必要があることを示しています。

7 お詫び・・・BUSINESS

We at Nihon Textiles pride ourselves on our global outlook. Unfortunately, Mr. Noda has tarnished our image with you and your colleagues.

私ども日本テキスタイルは、世界的視野に立つ会社であることに誇りを持っています。残念ながら野田は、あなたやあなたの同僚の、弊社に対するイメージを汚しました。

I will immediately order our personnel department to seek ways to sensitize our employees to the responsibilities to our fellow world citizens through training modules. In addition, Mr. Noda would like to visit your office and apologize in person, unless of course this will make you feel uncomfortable.

直ちに人事部門に命令し、トレーニングによって、弊社の社員を世界市民への責任に対してより細やかな神経を持つ人間にする方策を探るつもりです。加えて、野田は、御社の事務所を訪問し個人的にお詫びを申し上げたい意向です。もちろんご迷惑でなければですが。

We certainly hope that this unfortunate incident has not permanently affected our growing relationship with you and Tech Bank.

私どもは、あなた及びテックバンク社との強まりつつある絆が、今回の不祥事によって完全に途切れてしまっていないことを強く望んでおります。

Regards,
Satoru Ikeda
President, Nihon Textiles

POINT 1 まず弁護士に相談
Have a lawyer look at an apology first

海外で、社員が法律に触れるような差別的言動を行った可能性がある場合は、謝罪のEメールを送る際にも、まず送る前に弁護士にそれを見せておく必要がある。米国をはじめ、国によっては謝罪をしたことが裁判の結果に影響を与える場合が少なくない。訴えられた場合には大きな問題になる可能性を含んでいる。一方、そういった行為を行った直後に、上司や本人からの謝罪のEメールが届けば事態がそう悪化しない場合もある(もちろん、本当にひどい行為を行った場合は取り返しがつかないが)。訴訟は、同じ間違いを何度も犯したときに起こるのが一般的である。

Chapter II Eメール実践編

POINT 2 明らかにこちらが悪いときはとにかく謝る
Be direct when apologizing for behavior that is clearly wrong

明らかに自社に落ち度がある場合は、相手側のあら探しをしたり言い訳をするよりは、平謝りに謝ったほうがいい場合も多い。ただし謝罪だけで終始せずに、建設的にこの問題にどう対応していくかを書くことも忘れずに。

USEFUL EXPRESSIONS

❶ 自社の落ち度を素直に認める

It has come to my attention that Mr. Noda, our LA representative, behaved in a rude and insensitive way toward you last week.

先週、弊社のLAでの代表である野田が、無礼で無神経な振る舞いをしたという報告を受けました。

This came to my attention this morning, so it is just now that I am able to address the issue.

この情報は今朝、私の耳に入りましたために、今ようやく、この件に関して対策を講じている次第です。

I learned of the problem a few hours ago. At this point, I would like to apologize.

この問題に関しては、ほんの2〜3時間前に耳にしたばかりです。現時点では、お詫びするだけです。

I would like to personally apologize for the behavior of our sales rep, Mr. Inoue.

弊社の営業担当者、井上の行為に関して、個人的にお詫びを申し上げたいと存じます。

Mr. Noda's behavior was completely unacceptable.

野田の行為は、まったく受け入れられるものではありません。

Sexual and racial harassment are not appropriate under any circumstances.

性的、民族差別的な嫌がらせは、どのような状況においても適切ではありません。

❷ 自社の対応を伝える

He needs to undergo sensitivity training before he can continue his regular duties.

彼は、日常の業務に戻る前に、感受性の訓練を受ける必要があります。

170

7 お詫び・・・GENERAL

We at Nihon Textiles pride ourselves on our global outlook.
私ども日本テキスタイルは、世界的視野に立つ会社であることに誇りを持っています。

We consider Ide Oil to be an international company and a company that is sensitive to the rules and regulations of its host countries.
私どもは井出石油が国際的な企業であり、またホスト国の規則や規制に対して敏感であると考えております。

Unfortunately, Mr. Noda has tarnished our image with you and your colleagues.
残念ながら野田は、あなたやあなたの同僚の、弊社に対するイメージを汚しました。

I will immediately order our personnel department to…
直ちに人事部に命令して…させます。

GENERAL

1 配慮が十分できなかったときの謝罪
Apology for leaving something out

ビジネスでもプライベートでも、言葉だけではなくあらためてEメールを送ったほうが謝罪の気持ちがより伝わることが多い。ノンネイティブスピーカーであるわれわれは、自分の気持ちを話し言葉だけで十分に伝え切れないことも多いからである。

次の例は、ニューズレターに載せた写真に異なるキャプションを付けてしまったことに対する謝罪である。

To: "Janet Newman" <jnewman@loa.com>
From: "Yoko Dejima" <yoko-d@jafsa.com>
Subject: Apology for mistake in newsletter

Chapter II Eメール実践編

Dear Ms. Newman and Muriel,

As the editor of the "Japan-Australia Friendship Society Journal," I would like to express my sincere apologies for mislabeling the picture of you and your daughter. I certainly do feel bad about this. I received the photo caption information from the photographer, but I made the mistake of not double checking the information with the Australia coordinator.

『日本―オーストラリア・フレンドシップ・ソサエティ・ジャーナル』の編集者として、あなたと娘さんの写真に誤ったキャプションを付けてしまったことに関し、心からお詫びを申し上げます。本当に申し訳ないと感じています。写真のキャプションの情報は写真家から受け取りましたが、オーストラリアのコーディネーターと情報の再確認をしなかったという誤りを犯してしまったのです。

I will be printing a correction and public apology in our upcoming issue due to come out next month.

来月発行予定の次号で訂正とお詫びを掲載します。

Kind Regards,
Yoko Dejima
Editor, Japan-Australia Friendship Association

POINT 1 必要な情報を入れておくこと
Include all the important information

謝罪のEメールには、いったい何がいけなかったのか、なぜそうなってしまったのか、それに関してどう感じているのか、その問題に関してどう対処するつもりか、などを入れておく必要がある。

USEFUL EXPRESSIONS

❶ 何がいけなかったかを伝える

I would like to express my sincere apology for mislabeling the picture of you and your daughter.

あなたと娘さんの写真に誤ったキャプションを付けてしまったことに関し、心からお詫びを申し上げます。

I apologize for not inviting you to our Ladies Society luncheon yesterday.

昨日のレディース・ソサエティの昼食会にご招待しなかったことをお詫び申し上げます。

❷ なぜそうなってしまったかを伝える

I received the photo caption information from the photographer, but I made the mistake of not double checking the information with the Australia coordinator.

写真のキャプションの情報は写真家から受け取りましたが、オーストラリアのコーディネーターと情報の再確認をしなかったという誤りを犯してしまったのです。

Your name was not on the updated list of members in Tokyo. Apparently, someone erroneously reported that you had already returned to London.

あなたの名前は東京のメンバーの最新リストに載っておりませんでした。明らかに誰かが、あなたがロンドンにすでに戻ってしまっていると勘違いして報告したのでしょう。

❸ 自分がどう感じているかを伝える

I certainly do feel bad about this.
本当に申し訳ないと感じています。

I feel just terrible about this.
本当に後悔しております。

❹ 対応策を書く

I will be printing a correction in our next issue.
次号で訂正を掲載します。

I will immediately update the member list.
メンバーリストをすぐに更新します。

❷ 謝罪のEメールに対する返事
Response to apology

　謝罪のEメールを受け取ったときは、返事を出すべきだろうか。基本的には返事を出しておいたほうが相手との関係を維持しやすい。返事を出さないとそのままになってしまう可能性もある。

Chapter II Eメール実践編

簡単でもいいのでひとこと書いておいたほうがいいだろう。

次のEメールは、前項で取り上げた謝罪のEメールに対する返事である。

To: "Yoko Dejima" <yoko-d@jafsj.com>
From: "Janet Newman" <jnewman@loa.com>
Subject: Re: Apology for mistake in newsletter

Dear Ms. Dejima,

Thank you for your e-mail today.
今日のEメールをありがとうございます

> mislabeling the picture of you and your daughter.
> あなたと娘さんの写真に誤ったキャプションを付けてしまったこと…

Please do not worry about this. We know that you put a lot of energy into the newsletter, and you are bound to make a mistake once in a while. We take no offense at your oversight.
どうかあまり気になさらないでください。私たちは、あなたがニューズレターに多大なエネルギーを使っていることを承知しております。ときには誤りもあるでしょう。私たちはあなたが見逃したことを責めるつもりはありません。

We very much enjoy reading the friendship newsletter. The stories are wonderful, and it is really nice to be reminded of all the wonderful people we met in Japan.
私たちは本当にこのような交流のためのニューズレターを楽しく読ませていただいております。お話は面白いですし、日本で出会ったすばらしい皆さんを思い出すのはとても良いことです。

Regards,
Janet Newman

POINT 1 良い人間関係維持のために簡単な返事を
A short reply is a good way to close an issue

簡単なメールでもいいので、謝罪してきた相手に対して返事を

出しておきたい。その中で "There is no problem." または "The issue is not very serious." といった言葉を投げかけてあげれば、今後も良い関係を保ち続けることができるはずである。

USEFUL EXPRESSIONS

❶ 相手を安心させる

Please do not worry about this.
どうかあまり気になさらないでください。

This is not a problem with us.
これは私たちにとって大した問題ではありません。

An apology for this is really not necessary.
この件に関しては、謝っていただく必要はまったくありません。

We take no offense at your oversight.
私たちはあなたが見逃したことを責めるつもりはありません。

3 失礼な行動を謝罪する
Apologizing for bad behavior

個人的に誰かを怒らせてしまった場合、そしてその原因が明らかに自分にある場合などは、迅速にEメールで謝罪することも重要である。p.168では上司が会社を代表して謝罪するEメールを取り上げたが、ここでは本人による謝罪の例を見てみよう。

次のEメールは、パーティの場で宗教的な問題について失礼な発言をしたことに対する謝罪である。

Subject: Sincere apologies for my behavior last night

Dear Mohammed,

I must apologize and ask for your forgiveness concerning my behavior last night. I should learn to keep my mouth shut. My insult to you about your religion is embarrassing to me. I just got carried away in the heat of the moment. I'm afraid that I ruined the party for you and your wife.

Chapter II Eメール実践編

昨夜の私の行動に関してお詫びし、あなたに許しを乞わなくてはなりません。私は少し口を慎しむべきです。宗教に関するあなたへの侮辱は本当に恥ずべきことです。一瞬、気持ちが高ぶって興奮してしまったのです。あなた方ご夫妻のパーティを台無しにしてしまったのではないかと心配です。

My wife and I would like to invite you to our favorite Italian restaurant next Friday as a way to make amends. I do hope you will overlook my behavior last night and accept our invitation.

お詫びのしるしとして、妻と私は、私たちのお気に入りのイタリア料理店に、次の金曜日にあなた方をご招待したいと思います。昨夜の私の行動をお許しいただき、招待をお受けいただけることを切に希望しております。

Best regards,
Suguru Yoshizaki

POINT 1 自分の行動のどこを謝りたいのかどう感じているのかを伝える
Mention what you did wrong and how you feel about your behavior

酒は楽しむものであり、酔っ払うためのものではないという認識が、欧米のビジネス社会にはある。酔った上での失礼は、自分で自分をコントロールできない、つまり社会人として問題があるとみなされ、自分の行動に責任を持てない人という印象を与えるだけである。まず自分のどこが悪く、どう感じているかを書いておく必要がある。

USEFUL EXPRESSIONS

❶ 自分の行動の問題点と気持ちを伝える

I must apologize and ask for your forgiveness concerning my behavior last night.
昨夜の私の行動に関してお詫びし、あなたに許しを乞わなくてはなりません。

My insult to you about your religion (/family/country/king) is embarrassing to me.
宗教(／家族／国／王様)に関するあなたへの侮辱は本当に恥ずべきことです。

I just got carried away in the heat of the moment.
一瞬気持ちが高ぶって興奮してしまったのです。

I do hope you will overlook my behavior last night.
昨夜の私の行動をお許しいただけることを切に希望しております。

就職 *Employment*

GENERAL

1 募集に関して問い合わせる
Inquiring about position availability

北米企業では、学生が休みの期間インターンシップで仕事を経験するのが一般的である。ひと夏、インターンで企業勤務の経験を積むことによって、自分にどのような仕事が向いているかのヒントがつかめるし、また企業のほうでも戦力になる学生を早めに見つけ出すことができる。日本でも、外資系をはじめとしてインターンを受け入れる企業があるので、関心があれば自分から進んで問い合わせてみよう。

次のEメールは、東京の大学生が夏のインターンシップの可能性を企業にEメールで尋ねているものである。

To: hr@usanet.co.jp
From: "Keisuke Sakamoto" <k.saka@happynet.co.jp>
Subject: Availability of summer intern positions

Dear USA Net,

My name is Keisuke Sakamoto, and I am a 20-year old university student in Tokyo, Japan.
私の名前は坂本慶介と申します。日本の東京の大学生で20歳になります。

I am writing to inquire about the availability of summer intern positions with USA Net in Tokyo. Professor Tomoko Aoki, my international business professor at Tozai University, recommended that I contact you.

Chapter II Eメール実践編

東京のUSAネットでの、夏のインターンの職の空き状況につきまして、お問い合わせするために書いています。東西大学の国際ビジネスの教授である青木智子先生が、御社に連絡をとることを勧めてくれました。

I am seeking intern work that will give me experience working in a multinational technology company this summer vacation (18 July to 14 September). I can communicate in English (TOEIC 700, STEP Pre-First) and I have some database design experience from maintaining my club's member and alumni database. My full resume is available on my personal web site at www.geocities.com/k_sakamoto/resume.

今年の夏休み(7月18日から9月14日)の間、多国籍のテクノロジー企業での勤務の経験を与えてくれるインターンの仕事を探しています。私は英語でのコミュニケーションができます(TOEIC700点、英検準1級)。また、クラブのメンバーおよび卒業生のデータベースを管理していたことから、データベースのデザインの経験があります。私の履歴書は、個人のウエブサイトwww.geocities.com/k_sakamoto/resumeでご覧になれます。

If you anticipate having any summer intern positions available, I would very much appreciate any information you can give me.

もしも夏のインターンの職が空いているようでしたら、どのような情報でもいただければ、大変ありがたく思います。

Regards,
Keisuke Sakamoto
Phone/Fax (03)9876-5432
k.saka@happynet.co.jp

POINT 1 スペルミスのない英文を送ること
Make sure to check the spelling

インターンに限らず、企業に仕事の問い合わせをするということは、すでにそれが面接の第1段階だと考えていいだろう。現在使われているほとんどのワープロにはスペルチェッカーが付いているので、それを使ってスペルミスのないメールを送ろう。スペルチェックをしていないということは、とても雑な人物か、さもなければ基本的なワープロの使い方を知らない人物であると考えられる恐れがある。

POINT 2 会社にいる知り合いについて書く
Mention name of mutual acquaintance

自分が応募しようとしている会社に知り合いがいたり、例文のように会社を紹介してくれる教授がいたりすることは、有利に働く材料である。その人の許可をもらって名前を挙げておくと良い。

POINT 3 自分の能力についての情報を含める
Include a little information about your abilities

例文のように、英語の技能試験の結果について、または特別な科目を修了していること、あるいは企業が関心を持ちそうな技術を身に付けていることなど、自分の能力に関する情報を書いておこう。

POINT 4 簡単な履歴を添える
Consider putting your English and/or Japanese resume online

英語と日本語で簡単な履歴を添えておくか、あるいは自分の履歴書を提供しているホームページへのリンクを付けておくといいだろう。ただし、相手が要求していない場合は、履歴書のファイルを添付するのはお勧めできない。ウイルスのトラブルが発生したり、ファイルが開けないといった問題が起きることもあるからだ。

USEFUL EXPRESSIONS

❶ 仕事の可能性を尋ねる

I am writing to inquire about the availability of summer intern positions.

夏のインターンの職の空き状況につきまして、お問い合わせするために書いています。

I would like to apply for your internship program.

貴社のインターンシッププログラムに応募したいと思います。

I am seeking intern work that will give me experience working in a multinational technology company (an advertising company/a trading company/the finance industry/the tourism industry/the manufacturing sector).

多国籍のテクノロジー企業(/広告会社/貿易会社/金融業界/旅行業界/製造部門)での勤務の経験を与えてくれるインターンの仕事を探しています。

Chapter II Eメール実践編

❷紹介者について書く

Professor Tomoko Aoki, my international business professor at Tozai University, recommended that I contact you.

東西大学の国際ビジネスの教授である青木智子先生が、御社に連絡をとることを勧めてくれました。

I am writing on the recommendation of Mr. Jun Suzuki of GTU Multimedia.

GTUマルチメディアの鈴木淳さんの推薦により書いています。

❸自分の能力について説明する

I can communicate in English.

私は英語でのコミュニケーションができます。

I can understand and communicate in basic English.

私は基本的な英語を理解し、コミュニケーションをとることができます。

I am (near) fluent in English.

私は英語が(かなり)流暢です。

I have some database design (/sales/banking/computer programming) experience.

データベースのデザイン(/営業/銀行業務/コンピュータ・プログラミング)の経験があります。

❹履歴書に関する情報を伝える

My full resume is available on my personal web site at www.geocities.com/k_sakamoto/resume.

私の履歴書は、個人のウエブサイトwww.geocities.com/k_sakamoto/resumeでご覧になれます。

2 募集に関する問い合わせの返事
Response to position inquiry

　募集に関する問い合わせを英語のEメールで送れば、当然だが英語で返事が来るはずである。どのような返事が来るかを知っておけば内容を理解しやすい。
　次の2通のEメールは、インターンシップに対する問い合わせへの企業からの返事である。面接の通知と、断りのメールの2種類を取り上げる。

8 就職 • • • GENERAL

To: "Keisuke Sakamoto" <k.saka@happynet.co.jp>
From: hr@usanet.co.jp
Subject: Re: Availability of summer intern positions

Dear Mr. Sakamoto,

I have reviewed your information, and I would like you to contact our Personnel Director, Yuriko Kobe at (03)8765-4321 to arrange an interview for a summer intern position. We would like to consider you for one of our three positions for this summer.

あなたに関する情報を見せていただきました。弊社の人事部長の神戸百合子、(03)8765-4321まで、夏のインターンの面接の時間を設定するためにご連絡いただきたいと思います。今夏の3人のインターンの1人として考慮したいと思います。

Regards,
James Jackson
Personnel, USA Net

To: "Keisuke Sakamoto" <k.saka@happynet.co.jp>
From: hr@usanet.co.jp
Subject: Re: Availability of summer intern positions

Dear Mr. Sakamoto,

Thank you for your interest in USA Net. Unfortunately, at present all of our intern positions for this summer are filled.

USAネットに関心を持っていただき、ありがとうございます。しかし残念ながら、現在弊社のインターンの職はすべて決まっております。

You are well qualified, and should a position open up we will be sure to contact you.

あなたには十分に資格があります。もし空きが出た場合は、ご連絡をいたします。

Chapter II Eメール実践編

Regards,
James Jackson
Personnel, USA Net

POINT 1 返事がない場合は再度の問い合わせ
If there is no response, write again

企業によっては、インターンの問い合わせのメールを相当数受けているところもある。5営業日以内に返事がこなければもう一度書いてみよう。それでだめならあきらめることだ。

USEFUL EXPRESSIONS

❶ 面接の通知

I would like you to contact our Personnel Director, Yuriko Kobe at (03)8765-4321 to arrange an interview.

弊社の人事部長の神戸百合子、(03)8765-4321まで、面接の時間を設定するためにご連絡いただきたいと思います。

I would like to speak with you in person about our position. Please give me a call at your earliest convenience.

弊社の職についてあなたと直にお話をさせていただきたいと思います。ご都合のよいときになるべく早くご連絡ください。

❷ 断りの表現

Unfortunately, at present all of our summer intern positions for this summer are filled.

残念ながら、現在弊社のインターンの職はすべて決まっております。

At this time, we are unsure if we will have any positions this summer.

現時点では、今年の夏、何らかの職に空きが発生するかどうか定かではありません。

Your resume and background are very strong. Our personnel needs, however, differ from your strengths, so at this time we are unable to consider you.

あなたの履歴と素養はとても有力です。しかしながら、弊社の人材ニーズがあなたの長所と異なります。そこで今回はあなたのことを考慮することはできません。

Should a position open up, we will be sure to contact you.

もし空きが出たら、必ずご連絡いたします。

8 就職・・・GENERAL

3 履歴書のカバーレターの書き方
How to make a good cover letter for resume

仕事の応募で履歴書を送るときは、Eメールでの送付も可能な場合も多い。ワープロソフトで作った履歴書を添付するときは、Eメールの本文が、ファックスのカバーレターに相当する。

次は、履歴書のファイルを添付する際のカバーレターである。

Subject: Application for Sales Representative Position

Dear Ms. Lee,

As a salesperson for six years with a large multinational cosmetics company, I have gained the experience and skills to make me well qualified for the account executive position that is posted on your web site.

私は化粧品を扱う大手の多国籍企業の営業担当として6年間働いており、あなたのウエブサイトに掲載されていた顧客主任の職に必要な経験と技術を習得しています。

As you can see from my attached resume (.rtf file), I have been a successful salesperson at my current company. During my time at Beauty Mark, I was consistently the top salesperson in my section, and was named Salesperson of the Month six times. I consistently met and exceeded my sales goals for three consecutive years.

添付した履歴書（リッチテキストファイル）からもお分かりのように、現在の企業では優秀な営業担当者です。ビューティーマーク在職中、私は自分の部署でずっとトップの営業担当者でした。「今月の営業担当者」に6回選ばれています。3年間継続して着実に営業目標も達成、もしくはそれを超える成績を収めました。

Now I am looking to challenge myself in a bigger company, such as Global Cosmetics. I would welcome the opportunity to contribute to Global Cosmetics' success in Japan.

現在私は、グローバル・コスメティックのような、より大きな企業で、自分自身にチャレンジしてみることを考えております。グローバル・コスメティックの日本での成功に貢献する機会を希望します。

Thank you for your consideration.
考慮していただきありがとうございます。

Regards,
Hiroshi Sugiura
Phone/Fax 03-9873-8947

POINT 1 仕事に必要な能力を備えていることを伝える
Focus on your qualifications for the position

添付した履歴書をぜひ開いてみたいと思わせるためには、募集されている業務を十分こなせる力が自分にあるということを相手に確信させる情報を、カバーレターに簡潔に書いておくことが効果的である。

POINT 2 カバーレターで自分らしさを伝える
Sell yourself in cover letter

特別な教育を受けたことなど、他の応募者と自分を差別化できる情報があれば、なるべくカバーレターにも書いておこう。カバーレターは、件名の次に受信者の目にとまりやすい。自分にとって有利な情報だけでなく、仕事がない期間があったり、仕事を頻繁に変わっている場合などはその理由を書くことも考えよう。

POINT 3 カバーレターは長文にしない
A good cover letter is less than four or five paragraphs

カバーレターは長文である必要はない。3つか4つのパラグラフで、必要な情報を簡潔に書くようにしておこう。もう1つの方法として、カバーレター自体も添付する方法がある。たとえば、カバーレターのタイトルをread_me_first.rtfといった名前にしておいて、実際の履歴書をHiroshi_Sugiura_resume.rtfとするのである。

USEFUL EXPRESSIONS

❶ 必要とされる能力があることを示す

As you can see from my attached resume (.rtf file), I have been a successful salesperson (/an engineer/personnel manager/technical support person/manager) at my current company.

添付した履歴書(リッチテキストファイル)からもお分かりのように、現在の企業では優秀な営業担当者(／技師／人事課長／技術サポート担当／管理者)です。

8 就職・・・GENERAL

During my time at Beauty Mark, I was consistently the top salesperson (/I saved the company over 100 million yen in manufacturing costs/I developed and organized very effective seminars).

ビューティー・マーク在職中、私は自分の部署でずっとトップの営業担当者でした(/1億円以上の製造コストを節約しました/とても効果的なセミナーを企画実施しました)。

At present I am looking for a position with a large multinational company that will give me an opportunity to utilize my software programming skills.

現在私は、私のソフトウエア・プログラミングの技術を活用できる機会を与えてくれる、大手の多国籍企業での職を探しています。

❷ 履歴書の強みをアピールする

I consistently met and exceeded my sales goals for three consecutive years.
3年間継続して着実に営業目標も達成、もしくはそれを超える成績を収めました。

I was named Employee of the Month in September 1999 and June 1998.
1998年の6月と1999年の9月に「今月の従業員」に選ばれました。

❸ 締めくくりの表現

Now I am looking to challenge myself in a bigger company.
現在私は、より大きな企業で、自分自身にチャレンジしてみることを考えております。

I would welcome the opportunity to contribute to Global Cosmetics' success in Japan.
グローバル・コスメティックの日本での成功に貢献する機会を希望します。

❹ 履歴書を受け取る
Receipt of resume

　履歴書を送付すると、普通は企業から受領の返信が来る。どのような内容が書かれているかをあらかじめ知っておくと、相手の要求や連絡に対処しやすい。
　次のEメールは履歴を送ったあとの先方からの返事の例である。

Subject: Re: Application for a software engineer

Dear Mr. Murata,

Thank you for sending your resume in response to our advertisement for a software engineer.

ソフトウエアの技術者の広告に対して履歴書を送っていただき、ありがとうございます。

We will be accepting applications until 15 March. We will review the applications from 16 to 20 March, after which we will arrange interviews with suitable candidates. All applicants will receive notification of their status no later than 23 March.

弊社では応募を3月15日まで受け付けております。審査は3月16日から20日まで行い、その後、しかるべき候補者との面接日を調整します。3月23日までにすべての応募者に状況を報告いたします。

Again, we thank you for your interest in Dynamic Designs.

今一度、ダイナミック・デザイン社に関心をお持ちいただけたことにお礼を申し上げます。

Regards,
Barbara Cooper
Personnel
Dynamic Designs
Phone: 03-1234-9876
Fax: 03-1234-9877
E-mail: cooper@ddesigns.co.jp
URL: http://www.ddesigns.co.jp

POINT 1 選考スケジュールを教える
Let the applicants know of the timeline

選考のプロセスには時間がかかる。企業は多くの場合、どのようなスケジュールで選考を行うかを伝えてくる。短いメールでも、どのようなスケジュールで選考が進むかが、履歴書を受け取ったという確認とともに送られてくれば応募者としても安心である。

8 就職・・・GENERAL

USEFUL EXPRESSIONS

❶ 受領の通知

Thank you for sending your resume in response to our advertisement for a software engineer.

ソフトウエアの技術者の広告に対して履歴書を送っていただき、ありがとうございます。

❷ 選考スケジュールを知らせる

We will be accepting applications until 15 March.
弊社では応募を3月15日まで受け付けております。

The application process will finish on 3 April.
選考期間は4月3日で終了します。

We will review the applications from 16 to 20 March, after which we will arrange interviews with suitable candidates.
審査は3月16日から20日まで行い、その後、しかるべき候補者との面接日を調整します。

All resumes will be sent to the relevant departments on an as-needed basis.
すべての履歴書は、必要に応じてしかるべき部署に送られます。

All applicants will receive notification of their status no later than 23 March.
3月23日までにすべての応募者に状況を報告いたします。

If you do not hear from us by 9 October, you will not be offered an interview with Dynamic Designs.
10月9日までに連絡がいかない方には、ダイナミック・デザイン社では面接をいたしません。

5 退職のお知らせ
Notification of resigning

　会社を辞めることになったときには、退職のお知らせをビジネスの相手に送るのが普通である。もちろん1回か2回会った程度では送る必要はないが、日常的に業務に携わっている相手や、かつて頻繁にやり取りがあり、今後、再び仕事をともにする可能性のある人たちには送っておきたい。

Chapter II Eメール実践編

次のEメールは、Kパックという企業を退職することになった社員が、取引先に送ったものである。

Subject: Resignation notice

Dear Ms. Xiang,

This e-mail is to serve as my notification that I will be leaving K-Pack Inc. no later than 16 September.

このEメールは、私が9月16日までにKパック社を退職することをお知らせするためのものです。

I have enjoyed my last four years at K-Pack, but due to personal reasons, I will no longer be able to work here from mid-September.

私はKパックにおける4年間を楽しく過ごしましたが、個人的な理由のために9月中旬以降はここで働くことができなくなりました。

In my last month, I will do whatever is necessary to make the transition to a new employee as smooth as possible.

最後の1カ月で、新しい社員にできるだけスムーズに引き継ぎをするために、必要なことはすべてやるつもりでおります。

Regards,
Miki Sakurai
Sales Department
K-Pack, Inc.
msakurai@kpack.co.jp

POINT 1 現在勤めている企業について否定的なことは書かない
Do not write anything negative about your current company

退職のお知らせに書いたことは、現在勤めている企業の人にも、これから勤めようとしている企業の人にも伝わってしまう可能性がある。したがって、現在勤めている企業についてあまり否定的なことを書くべきではない。また、新しい勤務先の連絡先などは、新しい勤務先に移ってから書くのが普通である。

USEFUL EXPRESSIONS

❶ 退職を伝える表現

This e-mail is to serve as my notification that I will be leaving K-Pack Inc. no later than 16 September.

このEメールは、私が9月16日までにKパック社を退職することをお知らせするためのものです。

I hereby resign my position effective 31 May (/no later than 1 December).

5月31日をもって(/12月1日までに)退職いたします。

Due to personal reasons (/health reasons/the fact that I will take a new position), I will no longer be able to work here from mid-September.

個人的な理由の(/健康上の理由の/新しい職に就く)ために、9月の中旬以降はここで働くことができなくなりました。

In my last month, I will do whatever is necessary to make the transition to a new employee as smooth as possible.

最後の1カ月で、新しい社員にできるだけスムーズに引き継ぎをするに必要なことはすべてやるつもりでおります。

I do wish to leave on a good note, so if there is anything I can do to make my departure smooth, please let me know.

良い状況で辞めていきたいと思います。私の退職をスムーズにするために何かできることがありましたらお知らせください。

旅行

Travel

GENERAL

1 ホテルの空き状況と料金を尋ねる
Inquiring about room availability and room rates

インターネットでのホテルの予約は、途中にエージェントを通さない直接販売なので、この方法での集客に力を入れているホテルも少なくない。検索エンジンを使ってホテルのホームページを訪問すると、部屋からの風景が視点を変えて眺められるようになっていたり、部屋の中央から周りを360度見回すことができる工夫がされていたりするので、客室やバスルームの様子を確認して予約を入れることができる。

インターネットを使ってホテルを予約すると特別料金が適用されることがある。また、欧米のホテルの料金は季節や曜日によっても異なるので、メールを送って料金を確認してから予約の手続きをすることになる。

ここでは、インターネットで見つけたカナダのアルバータ州のホテルに料金を問い合わせるEメールを見てみよう。

Subject: Room availability and rates for 12 to 18 August

Dear Moose Lodge,

I am planning to travel to Edmonton, Alberta and would like to know about room availability and room rates for my family of three (wife, four-year old child and myself).

9 旅行 ・・・ GENERAL

私はアルバータ州のエドモントンに旅行をする予定です。そして家族3人(妻と4歳の子供と私自身)のための部屋の空き状況と料金を知りたいのです。

We are looking at being in Edmonton from 12 to 18 August. Do you have any suitable rooms available for this time? If so, what would be the rate for a room with a queen size bed and a roll away bed for my child? Do you have any multiple night discounts that might apply?

私たちはエドモントンに8月12日から18日まで滞在することを考えております。適当な部屋が空いていますか。もしそうでしたら、クイーンサイズベッドと子供用の簡易ベッドのある部屋の料金はいくらになりますか。2泊以上の割引で適用されるものはありますか。

Thank you in advance.

事前にお礼をお伝えします。

Regards,
Jun Ando

POINT 1 ホテルに何人で何泊するかの情報を含める
Include the number of nights and the number of people

ホテルの料金は日本と異なり、1人いくらではなく1部屋の値段として提示され、シングルかダブルかによって料金が多少変わる。また、簡易ベッド (a roll away bed) を使うことによって、子供は両親の部屋に泊まらせることができる。簡易ベッドの料金は普通あまり高くないので、とりあえず要求してみよう。安上がりになることも多い。またベッドは体の大きい人向けのキングサイズや普通よりやや大きなクイーンサイズなどのサイズがあることを知っておくといいだろう。

USEFUL EXPRESSIONS

❶ 人数を伝える

I would like to know about room availability and room rates for my family of three (wife, four-year old child and myself).

家族3人(妻と4歳の子供と私自身)のための部屋の空き状況と料金を知りたいのです。

❷ 宿泊の期間を伝える

I am writing to inquire about room availability in mid-August.
8月中旬の部屋の空き状況を尋ねるために書いています。

We are looking at being in Edmonton from 12 to 18 August.
私たちはエドモントンに8月12日から18日まで滞在することを考えております。

We will probably be in London from 3 to 5 December.
私たちはおそらくロンドンに12月3日から5日までいます。

Our plan is to visit LA for the week starting 19 June.
私たちの計画では、6月19日から始まる週に、ロサンゼルスに滞在します。

❸ 部屋の空き状況と料金を尋ねる

Do you have any suitable (/ocean view/partial ocean view/garden view/mountain view/city view/poolside/suite/deluxe/standard/double/non-smoking) rooms available for this time?

適切な(／海が見渡せる／一部の海が見渡せる／庭が見渡せる／山が見渡せる／市街が見渡せる／プールサイドの／スイートの／デラックスの／スタンダードの／ダブルの／禁煙の)部屋が、今回空いていますか。

If so, what would be the rate for a room with a queen size (/king size/double/single) bed and a roll away bed for my child?

もしそうでしたら、クイーンサイズ(／キングサイズ／ダブル／シングル)ベッドと子供用の簡易ベッドのある部屋の料金はいくらになりますか。

❹ 特別料金を尋ねる

Do you have any multiple night discounts that might apply?
2泊以上の割引で適用されるものはありますか。

Are there any discounts or packages available?
割引やパッケージ料金の適用は可能ですか。

2 部屋の空き状況と料金の問い合わせへの返事
Response to a room availability and rate request

　日本の旅館も英語のホームページを作っておけば、海外から問い合わせが来ることは十分考えられる。海外からの問い合わせでは、日本式の旅館と西洋的なホテルのシステムの違いを理解していない場合が多いので、そのあたりを十分に説明して予

9 旅行・・・GENERAL

約を受けないと、トラブルになる可能性もある。また、海外の友人に日本の旅館を紹介するときも同様に、日本の旅館の特色を説明しておく必要があるだろう。

次のEメールは、部屋の空き状況と料金を問い合わせた人への京都のホテルからの返信である。

Subject: Re: Room availability and rate request for 4 to 8 October

Dear Mrs. Parker,

Thank you for your interest in Kyoto Traditions Inn.
京都伝統旅館に関心を持っていただき、ありがとうございます。

> Do you have a double room available for 4 to 8
> October?
> 10月4日から8日の間、ダブルルームは空いていますか。

Yes, we do have rooms available for the above dates. Our rooms, however, are not in the style of a modern hotel. All rooms have tatami, which is a straw mat, for the flooring. The bed is a futon that the maid will lay out in the evening. Tatami and futons are really quite comfortable, and many of our guests from other countries have enjoyed the chance to experience something new. All rooms have a toilet / bath. A picture of our rooms can be seen at www.kyototrad.co.jp/english/rooms.html.

はい、上記の日程で空き室がございます。しかし、当方の部屋は現代的な様式のホテルではありません。すべての部屋に、藁のマットである畳が敷いてあります。ベッドは布団で、客室係が夕方敷きに参ります。畳と布団は、実際、かなり快適です。他の国から来た多くのお客様が、それまでにない体験ができることを楽しんでいらっしゃいます。すべての部屋にトイレと浴室が付いております。部屋の写真はwww.kyototrad.co.jp/english/rooms.html でご覧になれます。

> What is the room rate?
> 料金はいくらですか。

Chapter II Eメール実践編

Our room rate is per person. Each room can accommodate up to six people comfortably. For those days it would be 9,000 Japanese yen (or U.S. dollar equivalent) per person. This includes a dinner of various traditional Kyoto foods and either a Western- or Japanese-style breakfast. This is the style of most inns in Kyoto.

部屋の料金はお客様1人当たりの料金となります。どの部屋も6人まで快適に過ごしていただけます。その期間は、日本円で1人当たり9000円です(あるいは相当額の米ドル)。これには伝統的な各種の京料理による夕食と、洋式または和式の朝食が付きます。京都の旅館ではたいていがこのスタイルです。

If you are interested in making a booking for the above dates, you can use our secure online booking system (www.kyototrad.co.jp/english/bookings.html) or you can print out the reservation form and either fax or mail it to us.

もし、上記の期間に予約をお考えでしたら、私どもの安全なオンライン予約システム(www.kyototrad.co.jp/english/bookings.html)をご利用いただけます。あるいは予約用紙を出力していただき、それをファックスまたは郵送していただくこともできます。

If you have any further questions about our Kyoto Traditions Inn or Kyoto in general, I will be happy to answer them.

私ども京都伝統旅館、または京都一般に関して、さらに詳しいご質問がございましたら、喜んでお答えいたします。

Regards,
Tae Goto
Manager of Guest Relations
Kyoto Traditions Inn
Phone: 075-123-7651
Fax: 075-123-7652
E-mail: info@kyototrad.co.jp
URL: http://www.kyototrad.co.jp

POINT 1 日本の宿泊施設の特徴を説明する
Explain the features about accommodations in Japan

予約を受ける側としては、確実に次の4点を説明しておきたい。
- 1部屋の料金ではなく、宿泊客1人に対する料金であること
- 朝食や夕食が含まれる料金形態もあること

9 旅行・・・GENERAL

- 洋式のベッドの部屋以外に、畳と布団の和式の部屋があるということ
- 多くの西洋式ホテルは深夜でもフロントが開いているが、日本の旅館は誰もいない場合が多いなど時間に関するルール

USEFUL EXPRESSIONS

❶ 日本旅館の特色の説明

Our rooms, however, are not the style of a modern hotel.
しかし、当方の部屋は現代的な様式のホテルではありません。

All rooms have tatami, which is a straw mat, for the flooring.
すべての部屋に、藁のマットである畳が敷いてあります。

The bed is a futon that the maid will lay out in the evening.
ベッドは布団で、客室係が夕方敷きに参ります。

Tatami and futons are really quite comfortable, and many of our guests from other countries have enjoyed the chance to experience something new.

畳と布団は、実際、かなり快適です。他の国から来た多くのお客様が、それまでにない体験ができることを楽しんでいらっしゃいます。

❷ 料金の説明

Our room rate is per person.
部屋の料金はお客様1人当たりの料金となります。

For those days it would be 9,000 Japanese yen (or U.S. dollar equivalent) per person.
その期間は、日本円で1人当たり9000円です(あるいは相当額の米ドル)。

The room rate during the high seasons (15 July to 30 September; 15 December to 10 January; 20 April to 8 May) is 11,000 yen per person per night.

繁忙期(7月15日から9月30日、12月15日から1月10日、4月20日から5月8日)の部屋の料金は1人当たり1泊1万1000円です。

This includes a dinner of various traditional Kyoto foods and either a Western- or Japanese-style breakfast.
これには伝統的な各種の京料理による夕食と、洋式または和式の朝食が付きます。

This includes service charge and taxes.
これにはサービス料と税が含まれます。

Chapter II Eメール実践編

3 宿泊施設に特別な依頼をする
Special requests for accommodations

アメリカのレストランでは、ステーキの付け合わせのにんじんが嫌いなときは、いんげんを代わりに注文しても嫌な顔をされることはない。personalized service（顧客1人1人に合わせたサービス）を売りにしている店が多いからである。ホテルも同様で、個人的な要望にはなるべく応えるよう努力するはずである。希望があれば、Eメールで伝えるのも1つの方法である。

次の例は、夫の退職記念で夫婦旅行に出かける際の、特別なサービスを依頼したものである。

Subject: Seiko Ito's 4 to 8 June stay: Special Requests

Dear Hotel Vista,

My husband and I will be staying at your hotel from 4 to 8 June. Our reservations were made through J-Pack Tours.

夫と私は、そちらのホテルに6月4日から8日まで滞在する予定です。私たちの予約はJパックツアーを通して行いました。

This is a very special trip for my husband and I. He is retiring, and this is his retirement trip. It is also our 40th wedding anniversary.

これは夫と私にとってとても特別な旅行なのです。彼は退職します。そして、これは彼の退職記念旅行なのです。また私たちの結婚40周年でもあります。

I have a few requests for you:

いくつかお願いがあります。

1. Could you arrange for fresh cut flowers, a fruit basket and a bottle of chilled champagne to be in our room upon arrival? A moderately-priced bouquet and fruit basket are fine, but a bottle of Dom Perignon of recent vintage is preferable for the champagne.

1. 到着時、新鮮な切花とフルーツの籠、それから冷えたシャンペンを部屋に用意しておいていただけますか。手頃な値段の花束とフルーツの籠で結構です。しかしシャンペンに関しては、最近のドン・ペリニョンが好ましいです。

2. We are both non-smokers, so we require a non-smoking room, please.

2. 2人とも非喫煙者です。ですからどうか禁煙室をお願いします。

3. We'd like to go golfing on 7 June. Would you be so kind as to set up a morning tee time for us at a nearby course?

3. 6月7日にゴルフに行きたいと思っています。近くのコースに、午前スタートでセットアップしていただけますでしょうか。

Please confirm that you will take care of the above.

上記の通り手配していただけることをどうぞご確認ください。

We do look forward to staying at your lovely hotel once again as it is where we stayed for our honeymoon 40 years ago.

もう一度そちらのすてきなホテルに宿泊できることをとても楽しみにしています。40年前にハネムーンで宿泊したところですので。

Regards,
Seiko Ito

POINT 1 個人的なタッチを出してみよう
Make your e-mail more personalized

結婚記念日、ハネムーン、退職記念旅行など、特別な機会であることを印象付けるメールには、ホテル側も特別なサービスで応えてくれる場合が多い。例文のように、旅行代理店などを通して予約したホテルでもあとから自分でメールを送ることは可能である。

POINT 2 質問を使った依頼をしよう
To be more polite, use a question

"Please put flowers in our room." や "Put flowers in our room." よりも "Could you please put flowers in our room?" のほうがずっと礼儀正しい印象を与える。頼み方1つでも結果的に大きな違いになることがある。

Chapter II Eメール実践編

USEFUL EXPRESSIONS

❶ 予約状況を確認する

My husband and I will be staying at your hotel from 4 to 8 June.
夫と私は、そちらのホテルに6月4日から8日まで滞在する予定です。

Our reservations were made through J-Pack Tours.
私たちの予約はJパックツアーを通して行いました。

Our tour company is J-Pack.
私たちのツアー会社はJパックです。

❷ 丁寧に依頼をする

I have a few requests for you.
いくつかお願いがあります。

Would you be willing to arrange for fresh cut flowers, a fruit basket and a bottle of chilled champagne to be in our room upon arrival?
到着時、新鮮な切花とフルーツの籠、それから冷えたシャンペンを部屋に用意しておいていただけますか。

A moderately-priced (/An inexpensive) bouquet and fruit basket are fine.
手頃な値段の(/高価でない)花束とフルーツの籠で結構です。

We are both non-smokers, so we require a non-smoking room, please.
2人とも非喫煙者です。ですからどうか禁煙室をお願いします。

Would you be so kind as to set up a morning tee time for us at a nearby course?
近くのコースに、午前スタートでセットアップしていただけますか。

❸ 相手からの連絡を求める

Please confirm that you will take care of the above.
上記の通り手配していただけることをどうぞご確認ください。

Please let me know if you can accommodate the above requests.
上記のお願いを聞いていただけるのでしたら、どうぞお知らせください。

付録

Eメールトラブル Q&A

VIRUS

Q1 ウイルスって何？

A 基本的には2種類のウイルスがある。1つはdestructive virus（破壊的なウイルス）と呼ばれるものである。このタイプはファイルの上書きをしたり、OSを破壊したり、メモリーを消したりと、コンピュータの機能を大幅に狂わせる働きがある。Eメールの添付ファイルやフロッピーデスクの共有によって感染する。

> *There is no way to know a destructive virus from a non-destructive virus without running it. You will only find out when it is too late.*

もう1種類はnon-destructive virus（破壊的でないウイルス）と呼ばれるもので、データを壊したり、OSに決定的な影響を与えたりはしない。しかし添付ファイルを開くと、自分のアドレスブックに登録されているアドレスに、自動的に同じものを送ってしまう。コンピュータのシステムを破壊することはないが、イントラネットの交通過多の原因になることがある。

Q2 ウイルスを受け取ったことはどうやって分かるの？

A ウイルスもコンピュータプログラムであることには変わりない。すべてのファイルには拡張子が付いている。ウイルスのファイルには.exeという拡張子が付いているものが多い。これはコンピュータプログラムを表すものである。.vbsという拡張子にも用心しよう。

> *In general, the following common file types are safe to open: .txt, .rtf, .pdf, .jpg, .gif, .html, .htm, and .csv.*

Q3 もしもウイルスを受け取ってしまったら？

A まずファイルを開けないことである。そのまま削除すれば問題ない。本書の出版される時点では、受信者が開かないかぎり、

自分で自分を開くウイルスは存在していない。ウイルスは害を与える前に誰かに開いてもらう必要があるのである。

> *If you are not sure about any attachment you receive, do not open it until you have checked with the sender about the file.*

もしファイルを開いてしまったらどうするか。まずインターネットの接続を切ることである。これで、他の人に感染させることはなくなる。そしてウイルスワクチンソフトを起動させよう。ソフトを起動させてから、コンピュータを終了するという方法もある。

次に、会社であれば、情報管理者かコンピュータサポートスタッフに連絡をとり、指示を仰ぐこと。家庭のコンピュータで、ウイルスワクチンソフトの新しいものが入っていない場合は、再度コンピュータのスイッチを入れる前にコンピュータメーカーなどの専門家の窓口に相談しよう。

Q4 ワクチンソフトがあれば大丈夫？

A おそらく大丈夫である。ただししっかりと最新のものにアップデートしておくことが重要である。ほとんどのワクチンソフトはインターネット上でアップデートできる。1カ月に1回の割合でアップデートしておけばまず大丈夫だろう。

> *In addition, many anti-virus software programs do not automatically scan all incoming files. You must manually scan your computer.*

Q5 マックユーザーはウイルスの心配をしなくていいの？

A ウィンドウズのユーザーよりは安全である。ウイルスはコンピュータプログラムであり、ウィンドウズ上で動くようにプログラムされている。万が一ウイルスを受け取った場合でもマック上では何も起こらないことは十分考えられる。

Q6 ファイルを添付したい場合は、どうしたらいいの？

A テキスト送付では不十分なのかをもう一度考えてみよう。ファイルを添付する必要がない場合も少なくないからだ。情報だけを

付録

送りたいのなら、テキストファイルをEメールの文面に貼り付けるだけで十分なはずである。

図表や写真など、どうしてもファイルを添付しなければならない場合は、まずウイルススキャンをしてから相手に送ろう。

> *It is considered good etiquette to avoid sending attachments to someone you do not know.*

SPAM

Q7 スパムメールって？

A スパム（spam）という名前は、インターネットのユーザーに何年も前から使われている。基本的には広告や売り込みのために何百、何千、ときには何百万にも及ぶ人たちに送られるDMのようなものだ。

> *Spam is also the name of a canned meat made by a company in America. The meat is not very healthy, and indeed, most people do not know what kind of meat is in the can.*

リストに載っている人にはすべてメールが届くわけだが、インターネットをしばらく使っていると必ず何らかのリストに載ってしまうはず。そしてそのリストの持ち主が、アドレスを誰かに売ることもある。そうするといつのまにかスパムメールが届くようになるわけである。

べつに欲しいメールではないのに届くのだから迷惑なものである。多くのスパムメールは簡単に金持ちになる方法とかポルノグラフィックのサイトとか、信用できない送り主からのものである。たくさんのスパムを受け取るとEメールシステムの処理速度が遅くなったり、メールボックスがいっぱいになったりという結果になる。

> *Spam will use ALL BIG LETTERS or sometimes make it look like the e-mail is from a friend by using something like, "The information you requested."*

典型的なスパムは、件名で分かる。たとえば次のようなものである。

1 Eメールトラブル Q&A・・・SPAM

> Learn the Secrets of the Wealthy! 富を築く秘密を学べ！
> START YOUR OWN BUSINESS IN JUST 7 DAYS OR LESS
> 7日以内に自分でビジネスを始めよう
> FREE XXX!!! 無料のXXX（ポルノグラフィー）
> ONE-KILOGRAM-A-DAY-DIET 1日1キロのダイエット

Q8 スパムが来た場合はどうしたらいいの？

A スパム対策として最も簡単な方法は、メールを削除してしまうことである。スパムメールの送付をやめさせることは簡単なことではない。うそのメールアドレスから送られてくる場合もある。返信機能を使って苦情を書いたとしても、ほとんどの場合は効果がないだろう。

> *If you delete the message and do not open any attachments, you can quickly clean your Inbox. Be very careful not to open any attachment to avoid any viruses.*

スパムメールの中には、"Link to a web site which you can use to remove yourself from the mailing list."「メーリングリストからあなたのお名前を削除されるには、こちらのサイトにいらしてください」としてリンクを付けているものもあるが、ウエブサイトに入って受信を止めるような手続きをすることは、お勧めしない。そのような行動をとると、相手にあなたのメールアドレスが「活用されている(hot)」ことがわかってしまう。結果的に、あなたのアドレスの入ったリストはさらに高値で取り引きされることになり、そして、より多くのスパムが来ることになるのである。

もしもメッセージの中に次のようなものがあれば活用してもいいだろう。

> You can unsubscribe from the mailing list by replying to e-mail.
> このEメールに返信することで送付を止めることができます。

スパムメールの差出人は、自分のEメールアドレスを隠すものである。信頼できる会社だけが、こういった返信（送付の取りやめ）というシステムを使うことが多い。

Q9 スパムを受け取らないようにするためには？

A 残念ながら、スパムを受け取らないようにするための効果的な方法はない。スパムは安価で簡単にメッセージを送る方法なので、Eメールを使う人なら誰でもスパムが来ると考えてもいいくらいである。しかしながら、なるべく少なくする方法はある。次のようなものである。

① インターネット上に自分のEメールアドレスをあまり残さない。ニューズグループやオンラインフォーラムなど、誰でも入れるところに自分のアドレスを残してしまうと、それをもとにリストに載せられることがある。ホームページに自分のアドレスを載せることもスパムを増加させる原因になり得る。

② 2つのEメールアドレスを使い分けること。インターネット上には無料のアドレスがもらえるところがたくさんある。オンラインフォーラムなどの公共の場には、主ではなく副のほうのアドレスを使うことである。

> *You can then use your other e-mail address for family and friends.*

③ スパムを送りそうな怪しげなウエブサイトを訪問したり、メールを書いたりしないこと。

④ Eメールソフトのフィルター機能を使うこと。"sex" "get rich" といった言葉にフィルターをかければ、それらの言葉の入ったメールを受け取らずにすむ。

UNKNOWN

Q10 知らない人からメールが届いたらどうしたらいいの？

A まずスパムじゃないかという疑いを持とう。p.202でも、スパムを件名から推測する方法を書いたが、スパムの典型的な件名には次のようなものもある。

> Hi, friend. 皆さん、こんにちは。
> The information you wanted あなたの求めていた情報です。
> Hello, Mr. Suzuki. こんにちは、鈴木さん。
> A special message for Murata 村田さんへの特別なメッセージです。

友人からのように見えるが、実は商品の宣伝であるということも多い。

Q11 本当に間違いメールだったら返事を書くべき？

A スパムだったら削除して済ませることができるが、相手が一般のEメールユーザーだったら送り手に次のようなメッセージを返信してあげるのが親切である。

Hi. You sent the e-mail below to me.
こんにちは。下のメッセージを受け取りました。

I am uncertain as to who you are, or if the message was intended to be sent to me.
あなたがどなたかよくわかりません。あるいは本当に私に送ろうとしたメッセージかどうかわかりません。

If the message below is intended for me, could you please send me a little more information about yourself? If the message below is not for me, you can disregard this message.
もし私に書いたものであれば、もう少しあなたのことについて情報を送っていただけますか。メッセージが私に宛てたものでなければ、このメッセージを無視しても結構です。

受け取ったメールの内容によっては、以下のようなメッセージを使うこともできる。

I don't believe we've met.
私たちは以前に会ったことがあるとは思えません。

I'm sorry, but I don't recall speaking with (/meeting) you.
申し訳ありませんが、あなたと話した(/会った)ことを思い出せません。

I think you may have sent the e-mail below to the wrong person. Did you intend it for Yasuo Tanaka, which is me, or Yasuhiro Tanaka, who works in our Risk Assessment section?
あなたは、Eメールの送り先を間違っていると思います。田中康男宛てに送ったのであれば私ですが、田中康宏なら危機査定課で働いています。

付録

> The information you have requested is only available to clients who have an account with us. Please call (in English or Japanese) our New Accounts department to set up an account.

あなたが要求された情報を得られるのは、当社にアカウントがある方に限られます。アカウントの開設は当社新規アカウント部に（英語か日本語で）ご連絡ください。

> I'm sorry, but I cannot give out that information to unknown persons.

申し訳ございませんが、存じ上げない方に情報を差し上げることはできません。

Q12 "Returned mail: Host unknown?"って何？

A これは、あなたの送ったEメールの送り先のアドレスが、サーバーにない場合に、インターネットサーバーが送ってくるものである。送り先のアドレスの持ち主がアカウントを閉じてしまい、そのアカウントがもう使われていない場合に起こることもある。

まずは、メールアドレスを確認してみよう。アドレスの文字を間違えて打ち込んでいないだろうか。スペースが挿入されたりしていないか。アンダーバー（_）などの記号が間違えて打ちこまれていないか。小さなミスでも、メールは"Returned mail: Host unknown?"になって戻ってくる。もちろんサーバーの故障という理由も考えられる。そういうときは、2～3日後にもう一度送ると届くこともある。

> *If the address is correct, and if the message is not very important, you can wait a day or two and send the message again.*

次のステップは、インターネットで戻ってきたアドレスの持ち主の新しいアドレスを探すことである。英語のサーチエンジンで正しいメールアドレスを見つけられる可能性もある。別の方法としては、相手のホームページや企業のホームページに入り、そこで正しいメールアドレスを探すことである。相手の友人や同僚にEメールで尋ねる方法もある。

Eメールアドレスを変えたら、なるべく速やかに知り合いに変更を伝えよう。そうすることでこういった問題は予防できる。

チャットルームQ&A

Q1 英語でチャットするのは難しい？

A チャットは、オンラインで知らない人と知り合える良い機会である。Eメールと違い、リアルタイムで話し合うことができるのがいいところだ。誰かとライブで意気投合できるというわけである。オンラインでより実際に近い会話ができるので、英語の学習にぴったりというメリットがあるのは確か。ただし英語のネイティブスピーカーでないとそれだけ負担は大きくなる。

Q2 海外のチャットルームに行くには？

A 海外のチャットルームを見つけるためには、大きな英語版の検索エンジンに行くのが早道。たとえばwww.yahoo.com、www.lycos.com、www.excite.comといったところでは無料のチャットルームがある。多くのウエブサイトにもチャットルームがあり、ブラウザー以外は特別なソフトウエアを必要としない。特殊なソフトを要求するところがあっても、基本的には無料でダウンロードできる場所がウエブサイト上にあることが多い。

Q3 ノンネイティブでも参加しやすいチャットルームは？

A 当然ながら取り上げている話題に関心を持っているところが一番参加しやすい。専門的なチャットルームに行けば行くほど難しい内容になる。初心者は、a general friendshipとかcultural chat roomといったところから始めるといいだろう。

Q4 チャットとEメールの違いをもう少し詳しく教えて

A チャットでは、より会話に近い英語が使われる。ネイティブの文でも文章として完結していなかったり、文法が正しくなかったり、つづりが誤っていたりすることがある。チャットの参加者は、省略語や特別な言葉を頻繁に使う。たとえば "sys (See you soon.)" などである。また、日本のチャットルームと似ているのは、:) で「笑顔」を意味するなど、記号を使って感情を表すことである。

次のチャットの例を見てみよう。（　）内の英語は省略しない場合の表現。

Jim:　u from Tokyo?（Are you from Tokyo?）東京の人？

Taka:　thaz right（That's right.）その通り。

Jim:　ya live in tkyo long?（Have you lived in Tokyo a long time?）東京には長く住んでるの？

Ann:　hiya（Hi, everyone.）ヤァ、みんな。

Taka:　2yr hiya Ann（I've lived in Tokyo for two years. Hi, Ann.）2年間住んでる。ヤァ、アン。

Jim:　mornin'（Good morning.）おはよう。

Taka:　hehe evenin' here（Laugh sound. It's evening here.）ハハ。こっちは夜だよ。

Jim:　yeh forgot（Yeah=Yes. I forgot.）そうだ、忘れてた。

Taka:　*grin*（Smile.）（笑）

Ann:　wanna joke?（Would you like to hear a joke?）ジョーク聞きたい？

Jim:　y（Yes.）うん。

Taka:　byeeeeee gotta go（Good bye. I have to go.）さよなら。もう行かなくちゃ。

Q5 本名で参加するのがマナー？

A 本名は使わないほうがいい。名前とEメールアドレスを登録しないと参加できないチャットルームもあるが、できれば参加するときはスクリーンネーム（チャット用のニックネーム）を使おう。自分の電話番号やアドレスを伝えるのもあまりお勧めできない。

Q6 どんな点に注意をしたらいいの？

A チャットルームは公共の場である。あとで問題になるようなことを話題にするのは避けるべきだ。しかしスクリーンネームで登場すれば、多少なりともプライバシーは守られる。

Q7 Lurkingって何？

A「参加せずに見ているだけ」ということ。最初は会話の流れを見て、どのような参加の仕方や話題の持っていき方がいいかを考えよう。それから参加するのでも遅くはない。

If you cannot understand what someone is writing, try reading what he or she is saying out loud. Chats often are closer to conversation than to standard writing, so it can be helpful to hear the words.

Q8 チャットルームのエチケットって？

A ハラスメント、脅し、罵倒などはご法度。とりわけ性差別、人種差別、偏見などは持ち込まないように注意しよう。次にビジネスも持ち込まないこと。自分のホームページのアドレスを伝えるのはかまわないが、商業的なサイトの情報はルール違反。

Q9 チャットルームでいじめられたら？

A 失礼な言葉を浴びせられたり、攻撃された場合には、あまり相手にしないことがベストである。チャットルームによっては、単語をフィルターすることも可能である。相手がそれでも攻撃をやめないようならそのチャットルームに行かないのが一番である。

3 インターネット用語

A

abort ダウンロード中に中断したり、データを保存しないでソフトウエアを終了させること。

account インターネット上でコンピュータを利用する人(ユーザー)を管理する属性を表すもの。

address Eメールの住所。電話でいえば電話番号にあたる。「ユーザ名@ドメイン名」という構造になっている。

administrator メールシステムの管理者、あるいは管理権限を持つ人。

alias チャットルームで使うハンドルネームのことを英語ではこういう。「別名」という意味。

antivirus software コンピュータウイルスのワクチンソフト。

application software コンピュータ用のソフトウエア。

ASAP (as soon as possible)「できるだけ早く」という意味。

ASCII (American Standard Code for Information Interchange)「アスキー」と読む。ほとんどのメーラーやワープロソフトで読むことができる、テキスト用のバイナリーコード。

attachment メールに添付された、テキスト、画像、図表、音、ソフト、アニメなどの別ファイルのこと。Eメール文書とは別に開く必要がある。

AUP (Acceptable Use Policy) 各サイトにある素材の著作権に関する条項。インターネットで手に入るものがすべて自由に使えるわけではない。ウエブサイト上にこの表示があるときは、内容をよく読んでから使用すること。

.avi (audio video interleaved file) ウィンドウズのビデオなどのファイル形式を表す拡張子。

B

back door プログラム製作者により作られたシステムへの入り口。保護されているがハッカーに発見されると侵入される。

backslash "\"のこと。DOS環境で、ファイル名とフォルダー名の区切りに使う。

back-up オリジナルのファイルが壊れたり消えてしまったときのために、別に保管しておく複製ファイル。

band width 送受信されるデータの量。これが大きいと速度が遅くなる。

BBS（Bulletin Board System）「掲示板」のこと。

bcc（blind carbon copy）「目に見えない写し」という意味。Eメールの宛名をbccにした場合は、受信者以外にその人が受け取ったことは分からない。

BCNU（be seeing you）「また会いましょう」という意味。

beta 市場に出される直前のソフトウエアのバージョン。発売直前に、限られた数のユーザーに提供して最後のテストをするためのもの。

binary file 画像、データベース、表などのASCIIファイル以外のデータファイルのこと。binaryは「二進法」という意味。

.bmp（bitmap file）グラフィック関係のファイル形式を表す拡張子。

bookmark お気に入りのウエブサイトのアドレスをブラウザーに保存しておく機能。

bounce 送ったEメールが、アドレスの間違いなどで戻ってくること。

browser コンピュータプログラムの一種。これを使ってユーザーはインターネット上の情報を見ることができる。

BTW（by the way）「ところで」という意味。

bug プログラムの欠陥。これがあると、ソフトウエアが正常に機能しない。

C

case sensitive パスワードなどが大文字と小文字を区別すること。"flower"も"FloWer"も同じものとして認識することは、case insensitiveという。ちなみに、大文字は英語でupper case、小文字はlower caseという。

cc（carbon copy）タイプライターで打った文書の写しをとるときに、タイプ用紙の下にカーボン紙をはさんだことが語源。宛先に送ったものと同じメールを転送すること。

chain mail 不幸の手紙のように、広めることだけを目的としたようなEメール。chain letterともいう。

chat イントラネットやインターネットなどのネットワーク上で、会話のようにリアルタイムで文章を交換すること。

click マウスのボタンを押すこと。ボタンを押すときに「カチッ」という音がすることから。

client サーバー側ではなく、ユーザー側のコンピュータのこと。

.com（commercial）ビジネス関係のウエブサイトやEメールアドレスに付くドメイン名。

compress「圧縮する」という意味。大きなファイルを保存したり送ったりするときに必要な作業。Eメールでcompressed file「圧縮ファイル」を受け取ったときは、受ける側でも解凍する（圧縮を解く）ためのソフトが必要となる。

computer crime コンピュータを使った犯罪。

computer piracy ライセンスのない状態でソフトウエアを違法に使うこと。

contents ホームページの内容のこと。文章だけでなく、画像や図表、音なども含む。

cookie インターネットで、テキスト入力された文字をブラウザーに記憶させる命令。

copyright（©）「著作権」のこと。インターネット上のほとんどすべてのものに著作権があると考えたほうがいい。ウエブサイトの写真や文を使うときは、作者の許可を取らなくてはいけない。

cracker サーバーに（多くの場合は違法に）アクセスしようとする人。

crash コンピュータシステムが突然問題を起こすこと。再起動すれば済む場合もあるが、最悪の場合はシステムが壊れてデータが消えることもある。

D

default あらかじめコンピュータに設定されている数値。ユーザーが変更することもできる。

dinosaur とても古いと考えられているソフトまたはハード。

directory ファイルの整理の方法。大きなカテゴリのファイルの中にさらに小さなカテゴリのファイルを入れるという形で整理していく。

.doc（document file）Microsoft Wordのファイル形式を表す拡張子。

domain ネットワークに接続するサーバーの名前。

dot-com インターネットを利用した新しいビジネスに関わる企業の総称。まだ生まれて間もない英語である。

down 機能していない状態。たとえば "Our server was down yesterday, so I could not get your mail." 「昨日サーバーがダウンしていたので、あなたのEメールを読めませんでした」のように使われる。

download コンピュータシステムに、ネット上などからソフトウエアを転送すること。

E

e-commerce（electronic commerce）インターネットを使った商品取引のこと。

EDI（Electronic Data Interchange）企業間の情報、注文、納品の記録などを、電子化した資料を使って授受すること。

.edu（education）教育団体、学校のウエブサイトやEメールアドレスに付くドメイン名。

emoticon 感情を表すマーク。英語のEメールでは :) や :(がよく使われる。:) は「スマイル」、:(は「困った」という意味。

e-pal Eメールによる文通友達。key palとも言う。

.exe（executable file）プログラム実行用のファイル形式を表す拡張子。

extension 「拡張子」のこと。.doc、.txtなど、ファイル名の最後に付くもの。これによりどのような種類のファイルか分かる。

extranet イントラネット同士を接続した情報システム。外資系企業の本社と支社などで使われる。

F

FAQ（Frequently Asked Questions）よくある質問とその答えを一緒にしたリスト。インターネット上のホームページによく掲載されている。

file 1つの名前のもとに集められた電子情報。デスクトップ上では、アイコンとしてファイル名とともに表示される。

File Not Found このメッセージは、あるページやファイルにアクセスしようとしたとき、すでになくなっていたりして発見されない場合に現れる。

付録

filter 特定の情報を受けないようにするためのもの。北米では、インターネット上のアダルトサイトに子供が行けないように「フィルター」をかける親も多い。

finger ユーザー情報を表すコマンド。BBSや伝言板に設定されている。指定されているものとしてはログインした時刻、書いた人のログイン名、IPアドレス、端末名など。

firewall LANの中で公開されているページ以外は、インターネット経由でアクセスできないようにするソフト。ネットワークを安全に保つ方法。

flame チャットルームやニューズグループで、意図的に相手を侮辱して怒らせようとすること。

flood Eメールアドレスやチャットルームに大きな情報量のデータを送って、迷惑をかけること。

font コンピュータで使う書体。英語だけでもTimes New Roman, Tahoma, Centuryなど数多くの種類がある。

freeware 無料でダウンロードして使えるソフトウエア。

fw（forward）「転送」という意味。受け取ったEメールの件名の最初にこれが付いているときは、転送されてきたメールだと考えられる。

FWIW（for what it's worth）「それの価値に見合った」という意味。

FYI（for your information）「一応お知らせしておきます」という意味。

G

.gif（graphic interchange format file）写真や絵などを含むファイル形式を表す拡張子。

H

hacker 英語では、悪いことをする人だけを指すわけではない。ソフトウエアをいじることが好きな人のことも「ハッカー」と呼ぶ。

hang up コンピュータと、電話線やISDN回線との接続を切断すること。

home ホームページのトップページに戻るためのショートカット。ページ上にこのアイコンがあれば、これをクリックすることでトップページまですぐに戻ることができる。

hostname サイトの名前。たとえば、www.go.com。

HTML（Hyper Text Markup Language）インターネットにホームページを載せるために必要とされる、コンピュータ言語の一種。

http（hyper text transfer protocol）ハイパーテキストと呼ばれる電子文書を送受信するために、サーバーで使われる通信規約。URLはこれで始まっている。

I

IMHO（in my humble opinion）「私のようなものの意見ですが」という意味。

Internet Access Provider（IAP）インターネットに接続させる会社のこと。日本語では一般にプロバイダーと呼ばれる。Internet Service Provider（ISP）とも言う。

Internet Service Provider（ISP）インターネットに接続させる会社のこと。日本語では一般にプロバイダーと呼ばれる。Internet Access Provider（IAP）とも言う。

intranet インターネットと似ているが、会社など1つの組織内で相互に、また、インターネットへも接続できる情報システム。

ISDN（Integrated Services Digital Network）「統合デジタル通信網」という意味。普通の電話回線でインターネットに接続しているときには、電話やファックスを同時に使うことはできないが、ISDNを使うと、電話、ファックス、コンピュータ通信などと組み合わせて使うことができる。通信速度も電話回線より速い。

J

JAVA ホームページなどを作成するためのプログラム言語。どのコンピュータにも対応しているため、インターネットで広く利用されている。

K

key pal Eメールによる文通友達。e-palとも言う。

KISS（Keep it short and simple.）「簡潔に分かりやすく」という意味。英語のEメールの鉄則の1つ。

L

LAN（Local Area Network）同じ敷地内にあるコンピュータをつないで、相互にコミュニケーションができるようにする情報システム。

link ホームページ間の移動が簡単にできるように、関連づけること。

login プロバイダーかイントラネットのサーバーを通じて、ネットワークにアクセスすること。

LOL（laughing out loud）「(あなたの書いてきたことを読んで)大笑いしました」という意味。

lurker チャットルームに行ってもチャットに参加せず、他の人の書いたものを読むだけの人のこと。「隠れている人」という意味。

M

mailer 電子メールを読み書きするソフトウエアの総称。「メールリーダー」とも言うが、読むだけではないので、「メーラー」という言い方のほうが適している。

mailing list 電子メールを使った会議や意見交換、連絡などができるシステム。まず登録のためにメーリングリストのアドレスにメールを送ると、リストのメンバーすべてにメールが送られるようになる。

.mil（military）アメリカ軍のウエブサイトやEメールアドレスに付くドメイン名。

.mpeg（moving picture experts group file）圧縮された映像のファイル形式を表す拡張子。

N

.net（network）一般的なウエブサイトやEメールアドレスに付くドメイン名。

netiquette インターネット上のエチケット。

Netscape Navigator Netscape Communicatorの中に含まれる、インターネットを見るためのブラウザ。Navigatorだけを分離したものもある。

newbie 初心者のインターネットユーザーを表すスラング。

news group 大学などが持っている公開サーバーの中で、会議や情報交換ができる電子掲示板。通信教育などにも活用されていて、さまざまなテーマのニューズグループが世界中に6万あると言われている。

NRN（No response needed.）「返事は必要ありません」という意味。

O

offline コンピュータがネットワークなどに接続されていない状態。onlineの逆。

on demand 「注文があれば、すぐにその場でできます」という意味。

online コンピュータがネットワークなどに接続されている状態。offlineの逆。

.org（organization）非営利団体などの組織のウエブサイトやEメールアドレスに付くドメイン名。

OS（Operation System）日本語では「基本ソフト」と訳されている。コンピュータの機能を使えるようにするためのプログラム。

P

PDF（Portable Document Format）Adobe社が開発したフォーマットで、同社のAcrobat Readerというソフトウエアで見ることができる。さまざまなデザイン、文字、段組など、制作されたデザイン通りに見ることができる。

POP（Post Office Protocol）インターネットのサーバーから自分のコンピュータがEメールを受信するためのプロトコル。コンピュータに新しいメーラーを設定するときには、これを書き込む必要がある場合が多い。

product demo 「サンプル商品」という意味。デモ版のソフトには、機能が制限されているものもある。

protocol 「きまり」という意味。データ通信を行うときのルールのこと。

provider インターネットに接続させるため、ネット接続サービスを提供する団体。料金や知名度だけでなく、自宅から接続するだけなのか、旅先でも接続することがあるかなど、いろいろな条件を考えてプロバイダを選びたい。

pseudonym　「偽名」という意味。

public domain　インターネット上の素材についてこの表示があれば、著作権フリーだということ。これを使う場合には許可も使用料も必要ない。

R

readme　「まずお読みください」という意味。ソフトウエアの「使用説明書」のファイル名。通常はシンプルテキストで作られている。

reply　「返信」という意味。

ROTFL（rolling on the floor laughing）「おかしくて床を転げ回って笑う」という意味。

RSN（real soon now）「すぐにお願いします」という意味。

RSVP（Répondez s'il vous plaît.［フランス語］）「どうぞお返事ください」という意味。招待状の最後によく書かれている。

.rtf（rich text format file）テキストと画像を含むファイル形式を表す拡張子。

RTFM（Read the fucking manual.）「マニュアル読めよ」という意味。マニュアルも読まずに質問をしてくるチャット仲間に放つ、荒っぽい言葉。

S

search engine　「検索エンジン」という意味。インターネット上の文書の中から、特定の単語やカテゴリを含むページを探し出す機能を持っている。

secure　ハッカーから守られていることを示す言葉。Eメールやウエブサイトについて説明するときに使われる。たとえば"a secure order form"は「安全な注文書式なのでクレジットカード番号を書いても大丈夫」という意味。

server　インターネットやイントラネットで、コンピュータ同士のコミュニケーションを可能にするソフトとハードのこと。

shareware　公開されている有料ソフト。制限時間内は無料で使える場合が多い。

shortcut　「近道」という意味。リンクなどを付けることで、目的のウエブサイトまで最も早くたどり着けるようにできる。

signature　Eメールの末尾の名前、住所などの署名部分のこと。

SMTP（Simple Mail Transfer Protocol）コンピュータ間の電子メールを送るためのプロトコル。メーラーの初期設定時に必要とされる。

snail mail「カタツムリ便」という意味。一般の「郵便」のこと。Eメールに比べて遅いのでこのように呼ばれている。

spam コマーシャル入りのダイレクトメールなど、大量に送付されるメールのこと。

subject「件名」という意味。相手が多くのメールを受け取る人であれば、件名の付け方1つで、確実に読んでもらえるかどうかが決まる。

T

text フォントの情報も、罫線や表の情報なども含まれていない、文字だけの文書ファイル。テキストだけのEメールは、ほぼすべてのワープロソフトで開くことができるので、マッキントッシュでもPCでも読むことができる。

TIA（Thanks in advance.）「あらかじめお礼を申し上げます」という意味。

TTFN（Ta-ta for now.）「ではさようなら」という意味。

TTYL（Talk to you later.）「あとで話そう」という意味。

.txt（text file）テキストファイル形式を表す拡張子。

typo タイピング時に誤って入力された文字のこと。

U

unauthorized パスワードによって保護されたウエブサイトで、正しくないパスワードを打ち込んだ際に現れるメッセージ。「認証されていない」という意味。

Unicode ユニコードは、世界の文字の多くを1つの文字コードによって表現しようとするシステム。6万5536種の2バイト文字で表す。

upgrade ソフトやシステムの性能をより向上させること。

urban legend 誰かが始めて、回り回って多くの人にEメールで届く「噂話」のこと。

URL（Uniform Resource Locator）コンピュータに打ち込んで、訪れたいウエブサイトに進むための住所。多くのURLはhttp://www.で始まる。

user name 限定されたサイトやサーバーに入るための名前。

V

videoconference インターネット上で、ビデオを使ってリアルタイムで行われる会議のこと。

viewer ファイルを見るためのソフト。書き込むことはできない。PDF用のAdobe Acrobat Readerなどが代表的。

W

WAN（Wide Area Network）電話などを使ってダイアルアップでつなぐ「企業間ネットワーク」のこと。

.wav（waveform format file）音を含んだファイル形式を表す拡張子。

webmaster ウエブサイトの維持や改善の責任者。

web site インターネット上で、企業や団体、個人の情報を得ることができる場所。ホームページとも言う。

worm コンピュータに感染して、アドレス帳のアドレスに自分自身を送り込むウイルス。

WTF（What the fuck? [スラング]）「なんだこれ」という意味。

WTH（What the hell? [スラング]）「いったいどうしたんだ」という意味。

WYSIWYG（What you see is what you get.）「画面に表示されるものと印刷されるものが同じ」という意味。

X

XXX アダルトページ。

Z

zip PKZIPというソフトによるファイルの圧縮形式。ウィンドウズでは一般的。

著者紹介

ブライアン・アズビョンソン（Brian Asbjornson）

東京在住。東海大学外国語教育センター専任講師。学術論文、英語教材、学習書などを含む著作多数。テンプル大学にて教育学修士（Master of Education）、現在は教育学博士（Doctor of Education）の取得のために研究中。1995年からインターネットでEメールを活用している。筆者のEメールアドレスは brian_abjornson@yahoo.com。『英語でEメールを書く』に関するあなたのコメントを歓迎します。個人のウエッブページは http://www.geocities.com/brian_asbjornson/

田中 宏昌（たなか ひろまさ）

立教大学経済学部、テンプル大学教育大学院修士課程修了（M.ed. TESOL）。産業能率大学国際室長、産能短期大学助教授を経て、現在明星大学人文学部英語英文学科助教授。ビジネス場面での日本人の英語によるコミュニケーションの研究が専門。1999年度と2000年度前期にNHK教育テレビ「英語ビジネスワールド」講師。外資系企業、日本企業での英語コミュニケーションの教育コンサルティングも行う。

英語でEメールを書く
ビジネス＆パーソナル「世界基準」の文例集

2000年8月1日　第1刷発行
2005年6月27日　第7刷発行

著　者　　　ブライアン・アズビョンソン
　　　　　　田中宏昌

発行者　　　畑野文夫

発行所　　　講談社インターナショナル株式会社
　　　　　　〒112-8652　東京都文京区音羽1-17-14
　　　　　　電話　03-3944-6493（編集部）
　　　　　　　　　03-3944-6492（営業部・業務部）
　　　　　　ホームページ　www.kodansha-intl.com

印刷・製本所　図書印刷株式会社

落丁本、乱丁本は購入書店名を明記のうえ、講談社インターナショナル業務部宛にお送りください。送料小社負担にてお取替えいたします。なお、この本についてのお問い合わせは、編集部宛にお願いいたします。本書の無断複写（コピー）は著作権法上での例外を除き、禁じられています。

定価はカバーに表示してあります。

© Brian Asbjornson and Tanaka Hiromasa 2000
Printed in Japan

ISBN4-7700-2566-1